KB143309

미국 문학의 선구자
찰스 브록덴 브라운 소설 연구

미국 문학의 선구자

찰스 브록덴 브라운 소설 연구

•
•
•

정혜옥 지음

도서출판 동인

머리말

요즘 우리나라는 작년 가을부터 시작된 대통령 탄핵을 요구하는 집회가 지금까지 주말마다 계속되고 있고, 헌법재판소에서는 대통령에 대한 탄핵 심사가 진행 중이다. 또한 해방 이후 우리나라와 떼려야 뗄 수 없이 밀접한 관계를 맺고 있는 미국 역시 대통령 취임식에서 새로운 대통령의 취임에 반대하는 집회가 전국에 걸쳐 대대적으로 벌어졌다. 이러한 대통령과 관련된 사태들은 모든 사람들이 정치에 관심이 있으며 그 관심만큼 이제 어느 누구도 정치, 사회, 문화적인 그물망에 자유로운 사람이 없을 정도로 국가와 긴밀하게 연결되어 있다는 사실을 여실히 보여주는 예이다. 그런데 이제 우리는 현재 살고 있는 국가와 떼려야 뗄 수 없는 관계를 맺고 있을 뿐 아니라 국제사회의 상황에서도 자유롭지 못하다. 과거 어느 때보다 나라와 나라 사이가 급속히 가까워져 '지구촌'이라는 용어가 익숙해진 사회에서 그 변화하는 속도를 따라잡지 못해 허둥대며 외국의 거침없는 영향력의 도입을 저지하고자 국경의 담을 높이려는 여러 가지 시도가 이루어지고 있다. 또한 가속화되는 테크놀로지의 발전으로 경기 지표는 그리 나쁘지 않으나 일자리는 늘지 않아 청년들의 실업 사태는 심각하다. 각 나라의 정치 지도자들은 유권자들의 아우성에 지역을 한 데 묶는 정치적 경제공동체에서 탈퇴를 결정하기도 하고, 이미 조인된 지역간 경제조약을 일방적으로 파기하겠다고 선언하는 시대이다. 그러나 점점 좁아지고 서로 긴밀하게 얽혀 움직이는 지구촌의 상황을 뒤로 되돌릴 방법이나, 보통 사람들의 일자리를 빠르게 잠식해가는 기술의 발전을 저지하거나 발전 속도를 늦추는 방도를 아는 사람은 없는 듯이 보인다.

매주 토요일마다 몇 달째 대통령에 대한 탄핵인용과 탄핵기각을 주장하는 집회가 동시에 일어나는 우리나라뿐 아니라 지구촌 어디에도 안정되고 평화롭고 고요한 삶이 불가능한 것처럼 보이는 게 요즘 현실이다. 이렇게 격변하고 요동치는 세상을 사는 우리들에게 신생 공화국 미국이 건설되는 격동의 시기를 살다간 찰스 브록덴 브라운Charles Brockden Brown의 글과 삶만큼 가깝게 느껴지는 작가를 미국 문학에서 찾기 쉽지 않을 것 같다. 21세기 벽두 역동성과 불안정을 특징으로 하는 포스트모더니티의 현 상황에서 삶을 이어가는 우리들에게 18세기 끝자락과 19세기 벽두에 걸쳐 브라운이 발표한 소설들과 당시 시대에 대해 쓴 에세이와 리뷰, 그리고 그 글들에 대한 다양한 해석은 시간과 공간을 초월해 브라운이 우리와 긴밀하게 연결되어 있다는 생각을 하게 만든다.

브라운이 미국 건국의 소용돌이를 살았던 선구자적 작가이자 지성인으로, 야심만만하고 기량이 뛰어난 소설가로, 성취와 의미가 갈수록 부상하고 있는 작가로 평가되는 데에는 이제 누구도 거의 이의를 제기하지 않는다. 브라운이 초기 미국 문학 연구에 차지하는 중요한 위치는 초기 공화국의 모순으로 가득 찬 문화를 표현하는 방식에 있다. 미국 독립혁명을 이끌었던 '건국의 아버지들'이 표방한 모든 국민의 자유와 평등이 보장되는 사회적인 안정, 이성적인 조화, 지적이고 합리적인 사고가 확립된 나라가 아니라 서로 이질적인 사고들이 부딪치는 갈등과 모순, 차이 그리고 변모로 특징지어지는 현실 세계를 온몸으로 부대끼며 살아가면서 브라운은 자신의 체험을 글에 녹여낸 것이다. 자연히 그런 노력 속에서 브라운은 하나의 압도하는 목소리가 아닌 여러 목소리를 전달하려고 노력하며 결정적인 해석을 거부하는 작가로 오늘날 우리에게 계속 말을 걸고 그의 글에 참여를 유도한다. 이 점이 바로 브라운이 우리의 비평적 역사적 감수성에 끊임없이 호소하는 매력일 것이다.

이 책은 필자가 그간 여러 학술 저널에 발표한 논문을 수정한 것들과 새로 쓴 몇 편의 글과 논문을 한 데 묶은 것으로 미국문학에서 차지하는 위상과 업적에 비해 우리나라에 상대적으로 소개가 덜되고 연구가 미진한 찰스 브록덴 브라운을 알리고 싶은 마음에서 출발했다고 할 수 있다. 이 책에서 다룬 작품은 브라운의 작품에 일관되게 나타나는 진보적인 사상의 출발점을 보여준 『알퀸』(*Alcuin; A Dialogue*)과 여섯 편의 소설 『윌랜드』(*Wieland; or, The Transformation; An American Tale*), 『오몬드』(*Ormond; or, The Secret Witness*), 『아서 멀빈』(*Arthur Mervyn; or, Memoirs of the Year 1793*), 『에드거 헌틀리』(*Edgar Huntley; or, Memoirs of a Sleep-Walker*), 『클라라 호워드』(*Clara Howard; In a Series of Letters*), 그리고 『제인 탈봇』(*Jane Talbot; a Novel*)이다. 브라운이 이 작품들 이후에 쓴 미완성의 역사소설들과 잡지에 발표한 수많은 에세이와 리뷰에 대한 논문은 필자의 역량 부족으로 싣지 못해 훗날을 기약해 본다. 부족함이 많은 이 책이 초기 미국 문화와 문학, 그리고 브라운에 대한 이해의 지평을 확장하고, 우리나라에서 연구되기 시작한 찰스 브록덴 브라운의 중요성을 알리는 디딤돌이 되기를 희망한다. 또한 18세기와 19세기를 걸쳐 신생국 미국에 살았던 브라운이나 2017년 지금의 대한민국을 사는 우리들이나 다같이 격동하는 시대를 관통하면서 나와 다른 사람들 그리고 나와 사회와 국가의 관계에 기뻐하고 슬퍼하고 또 괴로워하며 동시에 보다 정의로운 사회를 꿈꾸고 그런 나라를 이루기 위해 노력하며 살아간다는 공통점에 조그만 위안을 얻기를 소망한다.

차례

찰스 브록덴 브라운은 누구인가?

1. 그는 미국 문학의 출발점인가?

브라운은 오랫동안 미국 문학 전통 내에 자리를 차지한 인물이면서 동시에 간과되었던 역설적인 작가이다. 이러한 모순적인 이중성은 브라운이 여러 면에서 처음 시도한 작가이지만 최고의 작가는 아니라는 비평가들의 평가와 관련이 있다. 로젠탈Bernard Rosenthal은 브라운이 중요한 악기를 발명했지만 그 자신은 특별히 연주를 잘하는 편이 아닌 음악가처럼, 그 자신이 대가가 된 것이 아니라 처음 시작했다는 사실로 더 존중 받는 작가라고 평가했다(1). 미국 낭만주의의 꽃을 피울 수 있는 무대를 마련해 준 그의 소설들은 브라운을 '첫 발걸음을 뗀 미국 작가'로서 '미국 소설의 아버지'Father of the American Romance라는 자리를 마련해 주었다(Kafer, xi-xxi).

그러나 좀 더 살펴보면 브라운은 미국 소설의 선구자라는 타이틀을 넘어선다. 그는 고딕소설을 미국에서 시작한 작가이기도 하다. 피들러Leslie Fiddler에 의하면 브라운은 고딕소설이라는 유럽 양식을 미국에 정착시키는 데 중요한 문제들을 해결했고 포Edgar Allan Poe와 호손Nathaniel Hawthorne에게 영향을 행사해 미국 고딕소설의 미래를 결정했다고 한다(145). 케이퍼Peter Kafer는 1798년 『윌랜드』(*Wieland; or, The Transformation; An American Tale*)의 발간으로 "찰스 브록덴 브라운은 스물일곱이라는 나이에 미국 고딕소설을 발명했다"고 하면서 "브라운은 공화국 초기 1790년대에 이미 어두운 역사가 무겁게 내려누르고 있음을 감지한 고딕적인 상상력을 가진 유일한 사람이었다"(xi-xxi)고 평가한다. 브라운의 선구자적인 위치는 유럽 고딕소설을 미국에 도입한 그의 어두운 고딕 비전에 한정되지 않는다. 헤지스William Hedges는 브라운을 주목해야 하는 이유가 대중적인 고딕소설 형식이 '깊은 미국적 충동'을 표현하는 데 적합하다는 것을 발견한 그의 안목이라고 말한다(109). 한편 카펜터Charles Carpenter는 브라운이 1803년에서 1806년까지 편집과 경영을 맡았던 잡지 『문학 잡지 미국의 기록』(*Literary Magazine and American Register*)과 관련하여 브라운이야말로 미국 역사의 선구자라고 평가한다. 더 나아가 그는 브라운이 쓴 정치적 소책자들은 브라운이 초기 미국의 '미국 정치 이론을 가장 정확하게 표현한 정치 이론가'(231)임을 보여준다고 한다. 초기 미국 문화의 주요 관심사와 이슈들, 공화주의와 혁명 간의 논쟁, 국가 확장주의, 감수성과 젠더 역학 또는 진보주의 부상과 같은 이슈들을 탐색하는 브라운의 복합적인 태도는 그를 독특한 예술적인 전략을 이해한 작가로 만들었다. 브라운은 더 이상 간과되는 주변적인 작가가 아닌 초기 공화국의 문화적인 변모와 갈등을 이해하는 데 중요한 초석으로서 '미국 문학의 아버지'로 부상하게 되었다(*Revising CBB* x).

로맨티스트, 고딕작가, 감상소설가, 역사가, 정치 이론가로서 브라운은 이런 분야들을 미국에서 처음 시도했다고 할 수 있다. 그의 첫 소설 『윌랜드』는 미국에서 본격적인 고딕소설을 처음 시도했을 뿐 아니라 『윌랜드』의 화자인 클라라Clara Wieland는 미국 문학에서 '믿을 수 없는 화자'를 보여주는 첫 케이스이다. 두 번째 소설 『오몬드』(*Ormond; or, The Secret Witness*, 1799)에 대해 커멘트Christine Comment는 "여성과 여성 사이의 낭만적인 열정을 보여준 최초의 장편"으로 소위 레즈비어니즘을 그린 첫 미국 소설이라 했고 크리스토퍼슨Bill Christopherson은 이 작품이 미국 소설의 첫 상징소설일 것이라고 한다(56). 『아서 멀빈』(*Arthur Mervyn; or, Memoirs of the Year 1793*)에 대해 헤지스는 "홀로 있는 상황에 처한 미국인, 신세계 문화의 모순에 둘러싸인 주인공을 의미 있게 재현한 첫 소설"(122)로 평가한다. 또한, 『에드거 헌틀리』(*Edgar Huntley; or, Memoirs of a Sleep-Walker*)는 미국적인 정신 상태를 표출한 첫 소설이며 개척지라는 소재를 발굴한 첫 소설이다(Jehlen 161). 이 외에도 도플갱어라는 장치를 사용한 첫 미국 소설이며 탐정소설 장르를 개척한 이야기라는 평가를 받는다(Hagenbuchle 137). 많은 비평가와 역사가들이 브라운을 미국에서 페미니즘, 내셔널리즘, 고딕소설, 사실주의를 시작한 작가로 간주한다(Verhoeven 203). 챕먼Mary Chapman은 『오몬드』의 서문에서 "이 소설에서 초기 미국 소설과 고딕소설이라는 두 개의 하이브리드 형식이 계층, 젠더, 섹슈얼리티, 인종, 민족, 그리고 국가라는 위계질서에 도전하는 방식을 탐색한다"(11)고 했는데, 이런 모든 점에서 살펴볼 때 브라운은 신생국의 이념적, 경제적, 정치적, 사회문화적인 맥락을 파악하는 데 몰두한 작가로 부상하게 되었다.

2. 그는 성공한 작가인가?

이렇게 다양한 분야에서 큰 의미를 지니는 작가이지만 브라운은 오늘날 미국에서조차 모든 이가 알고 있는 작가는 아니다.[1)] 브라운이 작품을 발표하던 시기의 반응을 살펴보자면 낭만주의 시인 셸리Percy Bysshe Shelley가 『윌랜드』를 좋아했으며 그의 부인 메리 셸리Mary Shelley는 1816년 『프랑켄슈타인』(*Frankenstein*)을 시작하기 전 『윌랜드』를 읽었다고 한다. 그뿐 아니라 키츠John Keats, 헤즐릿William Hazlitt, 피콕Thomas Peacock으로부터 좋은 평가를 받았다(Clemit 106). 미국에서는 포, 호손, 휘티어John Greenleaf Whitter와 풀러Margaret Fuller 같은 작가들이 그의 소설을 좋아했고 포와 쿠퍼는 브라운의 『에드거 헌틀리』를 도서관에서 대출한 기록이 있으며, 호손은 브라운을 1846년 『낡은 목사관의 이끼』(*Mosses from an Old Manse*)에 들어있는 스케치 「환상의 방」("Hall of Fantasy")에 포함시켰다. 브라운은 호손이 문학의 거장들을 모아놓은 「환상의 방」이라는 문학 신전에 들어간 유일한 미국 작가이다(Fiddler 154). 그러나 브라운이 포라는 작가에게 막대한 영향을 끼쳤다는 것을 인정했던 피들러는 브라운의 독자가 많지 않았던 점에 주목한다(ibid., 149). 헤지스는 한발 더 나아가 "브라운은 후대 미국 소설에 중요한 영향을 거의 행사하지 않았다" (Hedges 109)고까지 주장한다.

미국 문학에서 브라운이 차지하는 위치에 관한 논쟁은 『아서 멀빈』이라는 소설에서 동명의 주인공에 관한 논쟁과 비슷하다. 엘리엇(Emory

---

1) 브라운이 미국 문학에서 차지하는 위치는 2009년 *Early American Literature* 저널의 특별호에 많은 논문이 몰려들었다는 사실로 짐작할 수 있다. 그러나 다른 한편으로 브라운의 작품은 『노튼 미국 문학 선집』(*Norton Anthology of American Literature*)에 2011년 8판에야 포함되었다(Emmett 206).

Elliott)은 아서 멀빈이라는 인물에 관한 평가는 마치 다른 소설에 관해 논하고 있다는 생각이 들 정도로 나뉘어져 있다고 한다. 어떤 이는 아서 멀빈을 성공한 '미국의 아담' 같은 인물로 착하게 살아 공정한 보답을 받는 순진한 젊은이로 보는 반면에 다른 이는 그를 사기꾼이며 기회주의자에다 거짓말쟁이로 간주한다(142). 브라운에 대한 비평을 읽으면 이와 비슷하게 상반된 질문이 제기된다. 브라운이 미국 문학의 아버지인가? 미국 문학의 나아갈 길을 제시하는데 중요하고 새로운 문학의 발명하는데 헌신한 작가인가? 아니면 누구에게도 영향을 끼치지 않은, 야망도 없는 실패한 작가인가?

브라운이 이룩한 성취에 대한 논쟁은 불가피하게 그의 글의 미학적 수준이라는 주제로 돌아간다. 브라운과 그의 소설들이 혁신적인 면이나 역사적인 면에서 의미가 있지만 그 작품들이 문학적으로 가치가 있느냐는 질문에 비평가들은 어떤 답을 해야 할지 난감해했다. 로젠탈은 "브라운을 폄하하는 비평가들은 혼란스러운 플롯, 섬세하게 부각되지 않는 인물들, 있을 수 없는 사건들에 너무나 많이 의존하는 구성에 주목한다. 한편으로 브라운을 높이 평가하는 사람들은 이런 결점들을 인정하지만 그런 점들은 브라운의 장점에 비해 부차적인 것들"(4)이라고 정리한다. 브라운을 창피할 정도로 꼼꼼하지 못한 부주의한 작가로 평가하는 피들러 같은 비평가(155)가 있는 반면에, 다른 한편에는 브라운의 미학적 결함에 대한 혹평에 이의를 제기하며 브라운의 서술 방식은 의도적인 것이며 우연의 일치라는 장치에 브라운이 의존하는 것은 목적이 있기 때문이라고 하는 그라보(Grabo 183)가 있다. 베임Nina Baym은 『윌랜드』를 흠이 많은 작품으로 보고 그녀는 "브라운이 소설적으로 정말 고상한 것을 목표로 했다는 진정한 증거가 없다"고 주장한다(87). 그러나 루비Christopher Looby는 『윌랜드』

의 분석을 통해 "브라운이야말로 국가 초창기의 문학에서 발견될 수 있는 시간과 역사, 언어와 지식의 양면성이 지니는 모순을 가장 깊숙이 반영하는 작가"라고 진단한다(146).

브라운을 옹호하는 비평가들이 그의 비평적 위치를 정립하려고 노력했지만 여전히 브라운을 어떻게 평가하고 작품 해석을 어떻게 해야 하는지에 대해서는 동의가 완전히 이루어지지 않았다. 브라운의 작품은 모더니티의 진보적인 찬양인가 아니면 전통의 보수적인 방어인가(Kazanjian 461)? 데이비슨Cathy Davidson이 지적하듯이 브라운의 소설들은 역사적으로 시대를 앞서는 포스트모던 메타픽션의 걸작인가(*Revolution and the Word* 203)? 윌랜드는 연방주의 정책을 변호한 보수주의자인가(Tompkin 44-61)? 혹은 그런 정책을 파헤치는 전복적인 사람인가? 아니면 『윌랜드』는 어떤 관점을 대변하기보다는 미국 독립 후의 정치 사회적 변화의 혼돈과 트라우마 그리고 양가성을 알레고리로 표현하고 있는가(Kazanjian 464)?

이처럼 다양한 평가에서 알 수 있듯이 브라운은 자신의 독특하고 도발적인 방식으로 '오늘날까지 살아있는 작가'로 남았다는 결론에 이르게 된다.[2] 일단 브라운에 관해 이야기를 시작하면 글의 수준과 중요성 그리고 영향력에 관한 논쟁에 휘말리게 되는데 이렇게 평가가 완전히 확립되

2) 바나드Barnard, 캄래스Kamrath, 샤피로Shapiro는 브라운과 초기 미국 문학 연구는 1980년대 이후로 변화를 겪었다고 주장한다. 이들은 1983년 로터Paul Lauter의 *Reconstructuring American Literature*(1983)와 톰킨Jane Tompkin의 *Sensational Designs*(1985), 데이비슨Cathy Davidson의 *Revolution and the Word*(1986)와 같은 주요 수정주의 비평가들의 등장으로 '미국 문학의 정전'이 확장되었으며 이 시기를 다방면에 걸친 브라운에 관한 본격적인 연구가 시작된 시간으로 본다. 이에 따라 브라운의 소설과 담론적 텍스트가 확대되었고 진지한 비평들이 나오게 되었다. 브라운 연구는 이런 트렌드와 맥을 같이 해왔다는 것이다(*Revising CBB* xx).

지 않은 채 계속 발전하는 대화에 참여하는 느낌은 브라운을 읽고 토론하고 가르치는 재미의 일부라고 할 수 있다. 브라운의 소설에 대한 논의에 들어가기 전에, 그가 살았던 시대 배경과 역사적인 맥락을 살펴보기로 하자.

3. 브라운의 일생

브라운의 글을 읽으면 미국 역사에서 가장 격렬한 변화가 진행되는 시기에 작가로서 생계를 꾸리려고 부단히 노력했던 한 젊은이가 떠오른다. 브라운은 필라델피아의 퀘이커교도 집안에서 1771년 1월 17일 태어났는데, 1771년이란 해는 미국 혁명이 발발하기 5년 전으로 필라델피아는 13개 식민지의 정치와 지성의 중심지였다. 필라델피아는 퀘이커교도였던 윌리엄 펜William Penn이 세웠던 도시였던 연유로 그곳에는 퀘이커교도들이 많이 살고 있었는데 이들은 모든 전쟁을 반대하는 퀘이커 교리로 인해 당시 정치적인 상황이 점점 불편하게 되었다. 이 시기는 브라운이 성장하는 기반을 이루는 순간이며 그의 소설 전체에 심리학적으로 중요한 영향을 행사하는 사건을 겪었던 때이다. 그 사건은 다른 퀘이커교도들처럼 1765년 영국 정부의 <인지세법>Stamp Act의 부과에 반대했고 이념적으로는 미국 혁명에 찬성하던 아버지 일라이자Elijah Brown가, 퀘이커교의 원칙에 따라 전투 참가와 식민지 정부 동맹의 애국적인 맹세를 거부해 1777년 9월 체포되어 8개월 동안 사라진 사건이다. 이 기간 동안 브라운의 아버지는 버지니아의 혁명적인 대의에 의해 "위험하다"고 판단된 사람들과 함께 감금당해 있었다(Kafer 34).

브라운의 세 형들은 상업에 종사했지만 그는 실질적으로 미국 독립

전쟁의 전투가 종결된 1781년 <퀘이커교도 라틴어학교>Friend's Latin School에 들어가 1786년까지 성경, 라틴어, 그리스어, 수학, 영문학, 지리를 공부했다. 펜실베이니아에 관한 역사서를 두 권 쓴 교장 프라우드Robert Proud의 영향 아래 브라운은 지적인 토론을 즐기는 퀘이커 전통에 깊이 물들게 되었다. 『윌랜드』를 비롯한 그의 모든 글에 드러나는 지적인 탐구는 퀘이커의 특징으로 프라우드가 쓴 『펜실베이니아 역사』(*History of Pennsylvania*, 1797)에서 영향을 받은 것으로 추측된다(White 43).

1787년 16세가 된 브라운은 가족의 희망에 따라 윌콕스Alexander Wilcox 변호사 사무실에 법률 공부를 하기 위해 들어갔다. 미국헌법의 기초를 마련하기 위한 연방의회Federal Convention가 필라델피아에서 열렸을 때 브라운은 <문학클럽>Belles Letters Club을 만들었다. 그 그룹의 목적은 "인간정신이 소유하는 능력의 범주를 확장하고 문학적인 발전"을 위해서였다(Kafer 49). 종교에 상관없이 모인 이 모임은 때로 벤저민 프랭클린Benjamin Franklin의 집에서 만났고 프랭클린의 비밀결사를 모델로 삼았다. 그들은 자살의 도덕성, 정부의 불완전성, 자유의 한계 그리고 거짓말에 대한 합리화의 가능성 등 다양하고 자유로운 주제를 정기적으로 토론했는데 이 모든 이슈는 브라운의 소설에 여러 모습으로 나타났다. 이 모임은 1790년 초반 <유용한 지식을 얻는 모임>The Society for the Attainment of Useful Knowledge으로 변화되었다.

문학 클럽과 변호사 수업은 브라운에게 지적 탐구의 두 가지 본보기가 되었다. 문학 클럽이 제약이 없고 체계가 잡히지 않았던 반면에 변호사 수업은 전례에 매어있고 엄격했다. 윌콕스 법률사무소에서 보낸 시간에 대해 브라운은 친구에게 보낸 편지에 이렇게 회상했다. "나는 끊임없이 쓰레기 같은 법에 힘들어했고 수많은 비슷비슷한 말과 무례한 회람용 편지들, 거짓 주장들과 혐오스러운 계략들을 힘들게 헤쳐 나가야 했다" (Warfel 29). 그러나 그때 했던 법률 공부는 브라운의 삶과 소설에 분명하게 나타난다. 많은 사람들이 주목했듯이 법정에서 벌어지는 소송을 연상시키듯 그의 소설들은 질문을 던지는 것으로 이야기가 진행된다.

윌콕스 변호사 아래서 일을 할 때에도 브라운은 문학에 대한 지속적인 관심을 가지고 있었다. 그는 일기에 미국의 발견과 멕시코와 페루의 정복에 관한 서사시를 쓰리라는 포부를 적어놓았고 시편과 욥기를 모방하는 시를 적었으며 『오시안의 시』(*Ossian Poems*)를 1760년에 발표했다 (Elliot 214). 그리고 선지자적 작가를 탐색하는 「음유시인」("Rhapsodist")이라는 일련의 스케치가 18세 되던 1789년 프랑스 혁명 전야에 나왔다. 법 공부를 그만둔 몇 년 뒤 발표한 『오몬드』에서 법을 "야만적이고 낡은 관습의 찌꺼기와 파편들로 만들어졌고 세월의 녹으로 더럽혀지고 현대인의 어리석음이 덧대어져서 새로운 기형이 된 조직"(15)이라고 하며 혐오감을 드러냈다. 하지만 법률 공부를 했던 그의 이력은 코롭킨Laura Korobkin이 『윌랜드』는 법에 관한 지식과 함께 읽어야 완전히 파악할 수 있다고 했을 정도로 분명히 드러난다(723-24).[3]

윌콕스 법률 사무실을 그만둔 브라운은 필라델피아에 있는 <퀘이커 교도 문법학교>Quaker Friends' Grammar School 교사로 일하면서 많은 글을 쓰며 지적 탐색의 시간을 보냈다. 이 시기에 그는 중요한 지인들을 만나 우정을 쌓았는데 특히 1790년 필라델피아에서 예일대학에서 공부한 의사 스미스Elihu Hubbard Smith, 1771-98를 처음 만났다. 스미스는 노예폐지론자였고 진보적인 이신론자에다 오페라 극본을 쓴 문학도로서 '코네티컷 문사'

3) 벌레이Erika Burleigh 역시 "법률이라는 렌즈로 브라운의 소설을 읽으면 그의 언어와 소설의 구성, 그리고 사상을 전체적으로 파악할 수 있다"(750)고 주장했다.

Connecticut Wits의 전기를 집필했으며 『미국시선』(*Anthology of American Poetry*)을 편집한 사람이었다. 그는 브라운의 문학에 대한 야망을 북돋아 주었으며 1791년 뉴욕에서 그가 개업을 하자 브라운은 1797년 뉴욕으로 이사하기 전까지 자주 스미스를 방문했었다. 그러나 스미스는 브라운이 뉴욕으로 이사한 바로 다음 해 1798년 황열병으로 사망했다.

스미스와의 우정으로 브라운은 뉴욕의 사교클럽 <프렌들리 클럽> Friendly Club에 들어갔는데 이 클럽은 브라운이 만든 <문학클럽>이나 <유용한 지식을 얻는 모임>처럼 매주 책과 정치, 시, 철학, 종교에 관해 논했다. 이 그룹은 연방주의와 자유로운 사고를 지향하는 진보적인 그룹이었다. 이 그룹은 여자들도 참여했고 지적 대화와 동성과 이성간의 계몽주의적인 우정에도 관심이 있었다고 한다(Bernard and Shapiro xii). 이 모임을 통해 브라운은 당시 급진적인 작가들, 고드윈William Godwin과 울스턴크래프트Mary Wollstonecraft, 과학자와 철학자들, 정치 사상가들을 깊게 공부했다. 1796년과 1797년에 브라운은 구상 중인 소설들과 여성의 권리에 관해 쓴 『알퀸』(*Alcuin; A Dialogue*)을 이 그룹 회원들과 함께 논의하고 의견을 공유했다(Teute 163). 1799년 4월 <프렌들리 클럽>은 『월간 잡지 아메리칸 리뷰』(*Monthly Magazine and American Review*)를 "유럽 지혜의 정수를 끌어내고 국내외 모든 작가들의 작품들을 검토하고 평가하기 위해" 창간했다. 브라운은 이 잡지 편집인으로 일하면서 잡지에 자주 에세이와 비평, 소설을 투고했다.

스미스가 사망한 뒤 1798년부터 1801년까지 4년간 브라운은 마치 폭발하듯이 글을 쓰고 출판했다. 퍼거슨Robert Ferguson은 브라운이 네 편의 소설 작업을 하던 시기를 스미스가 사망한 1798년 9월부터 11월까지로 생각한다(302). 『윌랜드』, 『오몬드』, 『아서 멀빈』, 『에드가 헌틀리』는

18개월 동안에 쓰인 것이다.

『아서 멀빈』 후반부를 출판한 뒤 브라운은 단시일 내에 많은 글을 써서 지쳐버린 데다 가족들의 요청도 있어 1800년 필라델피아로 돌아왔다. 뉴욕에서 필라델피아로의 귀향은 절친한 친구 스미스가 이미 세상을 떴다는 사실도 한 몫 했을 것으로 짐작된다. 귀향한 후 브라운은 잡지 편집장과 소설 집필을 그만두겠다고 했다. 그는 1803년 『월간잡지 아메리칸 레지스터』에 당시의 심정을 이렇게 말했다. "현재 내가 아무것도 쓰지 않았더라면, 내가 쓴 작품이라는 표시가 나는 작품이 없었더라면, 내가 상당히 존경을 받을 수 있었을 텐데"(Axelrod 14)라고 했을 만큼 자기가 했던 노력과 그 결과에 실망했다. 다시는 글을 쓰지 않겠다고 했지만 브라운은 1801년 두 권의 소설 『클라라 호워드』(*Clara Howard; In a Series of Letters*)와 『제인 탈봇』(*Jane Talbot; a Novel*)을 발간했다. 계속해서 루이지애나령Louisiana Territory 획득, 1807년 영국과 프랑스에 대한 통상금지법 제정과 같은 문제를 논하는 정치적인 팸플릿을 발간하고 『월간잡지 아메리칸 레지스터』(1803-06), 『월간잡지 아메리칸 레지스터와 역사, 정치 그리고 과학의 종합 저장고』(*American Register and General Repository of History, Politics and Science*, 1807-09)에 글을 투고하고 편집했다. 1803년에서 1807년까지 일련의 역사소설들을 쓰면서 볼니Comte de Volney가 쓴 『미국의 지리연구』(*Tableau du Climat et du Sol des États-Unis*, 1803)를 번역하고 주를 달았다.

필라델피아로 돌아온 다음 브라운은 1804년 장로교도인 엘리자베스 린Elizabeth Linn과 결혼해 아이 넷을 낳았다. 1809년 결핵이 발병하여 1810년 39세의 나이로 사망했다. 브라운 서거 5년 후 던랩William Dunlap이 쓴 『브라운 전기』(*Life of Charles Brockden Brown*)가 1815년 발간되었다.

4. 브라운 시대의 역사적, 지적, 문학적 상황

브라운의 삶과 예술, 개인적인 체험과 소설은 서로 긴밀하게 연결되어있다. 그의 특징인 소설 구조, 즉 그의 인물들이 모든 가능성들을 살펴보기 위해 질문들을 던지고 그 질문들을 다 훑어보는 것은 퀘이커교도의 특성과 그가 했던 법률 공부의 영향으로 해석된다. 또한 그의 작품들에 거의 일관되게 나타나는 아버지의 부재는 그가 여섯 살 되던 해 8개월 동안 아버지가 사라졌던 사건으로 거슬러 올라갈 수 있다. 여성의 권리문제에서부터 심리학에 이르기까지 많은 주제들은 친구 스미스와 <프렌들리 클럽>에서의 토론과 브라운 자신이 몰입했던 독서의 영향이다. 『오몬드』와 『아서 멀빈』에 자세히 나타나는 황열병에 대한 묘사는 1793년 필라델피아와 뉴욕에 창궐한 그 전염병에 자신이 걸렸고 많은 사람들이 죽어가는 처참한 광경을 목격한 체험이 반영되어있다.

이런 예들이 제시하듯이 브라운이 겪은 사건과 경험은 혁명기와 혁명기 이후의 미국이라는 좀 더 넓은 틀 내에서 살펴볼 필요가 있다. 그 시기는 미국 역사에서 지적으로, 정신적으로 변화가 가장 극심하게 진행되던 시기였다. 앤더슨Douglas Anderson은 브라운의 작품에 드러나는 개인적이고 내면적인 것은 당시 만연해있던 문화적인 긴장과 불안감을 반영하는 것이라고 주장한다(454). 브라운이 많은 글을 썼던 1790년대는 미국이 거대한 실험을 하는 시간이었고 톰킨이 말하는 것처럼 미국의 미래가 존재할지 안 할지 한순간도 확신할 수 없었던 시기였다(47). 브라운의 소설은 모든 면에서 격동하던 시기를 선명하게 포착한다. 브라운은 끈기 있게 새로운 통치방식과 사고방식이 몰고 오는 혁신과 위험을, 그리고 외부의 영향력을 소설에 반영한다. 와츠Steven Wattts는 "브라운의 연구는 그의 전체적인 삶의 궤적과 글 전체를 바라보아야 한다. 혁명 후 미국의 사회경제적이고 정치적인 변화가 진행되는 맥락에서 브라운의 사상들을 검토하고 그런 정치 사회적인 변화 내에 그 사상들을 자리 잡게 만드는 통합적인 문화연구가 필요하기 때문이다"(xx)라고 주장했다.

사회적인 현상과 정치적 이슈에 대한 브라운의 입장은 대체로 양가적으로 평가된다.[4] 그의 양가적인 태도는 그의 소설뿐 아니라 그의 편집 작업에 나타나는 감수성의 갈등을 만들어낸다. 헤지스는 브라운의 태도를 "정치적인 감정에서의 양가성, 급진적인 유토피아주의에 대해 끌리면서도 두려워하는 것"(112)이라고 해석하면서 고딕 양식을 통해 강렬하고 극적인 긴장을 유도한다고 주장한다. 브라운이 정치 사회적인 문제에 대해 가지는 양가적인 관점은 18세기 후반과 19세기 초반의 미국 문화에 존재하는 좀 더 광범위한 갈등을 반영하고 초기 미국에 존재했던 정치적이고 인식론적인 관점에 대한 안내가 된다.

브라운은 혁명적인 변화로 세상이 재구성되는 나라에 태어났다. 어린 시절에 미국의 13개 식민지들이 영국에서 독립하는 것을 목격했고 그가 성장한 필라델피아는 혁명기 미국에서 가장 중요한 도시였다. 프랑스는 1789년 시작된 혁명의 시기를 겪었는데 처음에는 미국인들이 프랑스 혁

---

4) 브라운은 일반적으로 젊은 시절의 급진주의에서 결혼 무렵의 보수주의로 기울어졌다는 평가를 받는다. 최근의 연구들은 숨겨진 보수주의, 연방주의 정치학의 지지, 제퍼슨 통치에 대해 그가 지녔던 반감에 대해 추적하고 있다. 사무엘스Shirley Samuels는 브라운이 처음부터 끝까지 계속 급진적인 입장을 고수했다는 주장에 반대한다. 그녀는 브라운이 초기부터 급진적인 성향과 함께 보수적인 시각을 지니고 있었다고 주장한다. "브라운의 급진적인 고딕 감수성 아래에 교육과 가족에 관한 좀 더 보수적인 사상이 들어있다. 브라운의 글에는 그의 뒤를 잇는 미국 소설들이 가족에 초점을 맞추는 것을 예상하게 만드는 보수적인 사상이 깔려있다"("Infidelity and Contagion" 189)고 반박해 브라운의 사상을 어느 한쪽으로 진단하는 것을 반대한다.

명을 민주주의의 가치를 드높이는 것으로 환영했다. 그러나 프랑스에 대한 호감은 1793년과 1794년에 걸쳐 공포정치에 관한 끔찍한 뉴스가 전해짐에 따라 불안감으로 바뀌었다. 1795년과 1796년 사이에 영국 해군의 약탈사건으로 프랑스에 대한 호감이 잠시 살아나기는 했으나 1791년에서 1804년에 이르는 서인도제도에서 발발한 흑인들의 반란은 미국인들의 불안감을 고조시켰다. 서인도제도의 반란은 46,000여 명의 백인 목숨을 앗아갔는데 가장 심각한 사태는 프랑스 식민지 쌩 도밍그Saint-Domingue 식민지에서 일어난 반란으로 이는 1804년 아이티Haiti의 반란으로 이어졌다(Christopherson 106). 구디Goudie의 주장에 의하면 서인도제도의 폭력사태는 그곳의 크리올 난민들이 미국으로 몰려오게 했고 그 피난민들의 최종 목적지였던 필라델피아 주민들은 미국의 흑인 노예 반란에 대해 우려하게 되었다(62).

1780년대와 1790년대는 급진적인 사상이 미국에 확산되었는데 특히 고드윈과 울스턴크래프트 그리고 이들의 추종자 토마스 페인Thomas Paine, 토마스 홀크로프트Thomas Holcroft, 로버트 게이지Robert Gage, 헬렌 마리아 윌리엄스Helen Maria Williams 같은 "울스턴크래프트와 고드윈 추종자" Woldwinites의 사상이 퍼져나갔다. 이들 진보적 사상가들은 인간에게 가해지는 인위적인 제약과 사회적 위계질서를 거부했고 사회적 발전과 조화는 이성을 통해 이루어진다고 주장했다(*Revising CBB* xv-xvii). 고드윈의 『정치적 정의에 관한 질문』(*An Enquiry Concerning Political Justice and its Influence on Morals and Happiness*, 1793)과 그의 소설 『칼렙 윌리엄스의 모험』(*Adventures of Caleb Williams*, 1794)과 같은 급진 소설에서 고드윈은 결혼제도뿐 아니라 기성 종교와 국가와 같은 모든 억압적인 제도에 불신을 드러냈다. 울스턴크래프트는 『여성의 권리에 관한 옹호』(*A*

Vindication of the Rights of Women with Strictures on Political and Moral Subjects, 1792)에서 여성은 태생적으로 남성보다 열등하지 않으며 교육의 불평등이 여성을 그렇게 보이게 만들었다고 주장했다.

정치 혁명과 급진적인 진보사상은 브라운에게 다양한 영향을 끼쳤다. 필라델피아에 거주했던 브라운은 이제 막 태어난 나라의 시민으로서 연방주의자와 공화파 진영으로 나뉜 혁명 이후 정치적 논쟁을 지켜보았고 인간성에 대해 양분된 이념에 영향을 받았다. 다양한 독서 집단에 참여했고 출판에 간여했으며, 철학 사상을 토론한 잡지를 운영한 젊은 지성인으로서 브라운은 이런 새로운 사상을 받아들였다. 1798년 발간된 『알퀸』은 브라운이 이미 울스턴크래프트와 고드윈의 사상에 영향을 받은 것을 보여준다. 그는 이 대화집에서 여성이 남성보다 열등하게 태어난다는 점을 부인하고 결혼 제도에 대한 급진적인 비판과 여성의 권리를 박탈하는 관련법에 반대했다. 브라운의 소설들이 고드윈과 울스턴크래프트의 사상을 지지했다고도 하고 비판했다는 것으로 다양하게 해석되지만 브라운의 지적 성장에서 이런 영향을 부인할 수 없다.

국외에서 발생한 혁명들과 급진적인 사상의 도입은 미국의 노예제도, 인디언 정책 그리고 재정 정책과 산업에서 많은 영향력을 행사하고 변화를 일으켜 이는 1790년대 정치적인 긴장을 야기해 서로 첨예하게 대립하는 파당주의로 얽힌 미국을 만들어냈다(Christopherson 7). 당시 활발하게 이루어지던 정치 토론들은 주로 연방정부의 권한, 미국이 영국이나 프랑스와 동맹을 맺을 가능성, 시민의 자율적인 통치능력에 관한 것이었다. 클레밋Clemit이 설명하듯이 토마스 제퍼슨과 제임스 메디슨James Madison이 이끄는 공화파들은 인간의 타고난 고결함에 대한 믿음을 고수하고, 개인사에 정부의 감시나 간섭이 최소화된 농업 국가를 희망했다(114). 그러나 조지 워싱턴George Washington, 존 애덤스John Adams, 알렉산더 해밀턴 Alexander Hamilton과 같은 연방주의자들은 인간성에 대해 비관적이었고 법과 질서를 유지하고 국가를 전체적으로 통제할 수 있는 연방정부의 필요성을 역설했다(Levine 17). 정부의 권한에 대한 논쟁은 국내외에서 발생한 일련의 사건들로 인해 두 당파가 날카롭게 맞서게 되어 결국 훗날 남북전쟁으로 폭발할 정도로 분열되었다. 이렇게 갈라서게 된 것은 영국과 프랑스를 지지하는 정치 노선의 차이에서 시작되었다고 해도 과언이 아니었다.

미국은 1794년 영국과 <제이 조약>Jay Treaty[5]을 채결했는데 이 조약은 영국과 미국 사이의 점점 가중되는 정치적인 긴장을 완화했고 미국 독립혁명 이후 남아있던 많은 갈등을 해소했으며 10년 동안 평화적인 상업조약이 지속되었다. 영국은 1793년 프랑스와 전쟁을 선포했기 때문에 영국으로서는 미국과의 동맹은 중요했다. <제이 조약>은 미국과 영국 사이의 전쟁을 피하게는 했지만 국내 정치에 논란을 불러왔고 프랑스 혁명에 동조했던 토마스 제퍼슨과 제임스 메디슨의 비난을 받았다. 외국과 연관된 또 다른 사건으로 미국의 국내 여론이 시끄러웠는데 이는 1798년 초 <XYZ 사건>XYZ Affair[6]이었다. 이 사건은 <외국인 치안 방해에 관한 법>

---

5) <제이 조약>Jay Treaty은 1794년 11월 19일에 미국과 영국 사이에 체결된 조약으로, 비준은 이듬해 1795년에 이루어졌다. 미국과 프랑스 간의 무역을 영국이 방해하려 하자 미영 관계의 긴장이 고조되기 시작해 양국 간 전쟁 해결을 위해 조지 워싱턴 대통령은 특사로 존 제이를 영국에 파견, 양국 관계의 개선을 위해 영국과 '제이 조약'을 체결하도록 했다.

6) <XYZ 사건>XYZ Affair은 1797년부터 1798년에 걸쳐, 존 애덤스 행정부 초기 미국과 프랑스 간에 벌어진 외교적 충돌사건이다. 그 이름은 애덤스 정부가 발간한 문서에 프랑스 외교관 이름을 X, Y, Z로 바꿔 칭한 데서 유래한다. 미국 대표단이 1797년 협상을 위해 프랑스로 파견되었는데 프랑스 측은 협상 조건으로 25만 달러의 현금

Alien and Sedition Acts과 <버지니아와 켄터키 결의안>Virginia and Kentucky Resolutions의 발의와 통과를 촉발시켰다. 이 정치적 스캔들로 프랑스에 적대적인 정서가 미국을 휩쓸었다. 프랑스에 호의적인 제퍼슨을 지지하는 공화파들에 대한 국민의 지지도가 내려가면서 연방주의자인 존 애덤스 John Adams가 1796년 대통령에 당선되었다.

<XYZ 사건>과 애덤스의 대통령 당선 이후 연방주의자가 지배하는 의회는 <외국인 치안 방해에 관한 법>과 관련된 네 법안을 1798년 통과시켰다. 이 법안의 제안자들은 적국에서 온 외국인들이 미국 정부에 해가 되는 활동을 하는 것을 방지하기 위한 조치라고 주장했고 반대편들은 개인의 자유와 주정부의 권리를 침해해 헌법에 위배되는 조치라고 공격했다. 1798년 <귀화법>Naturalization Act은 시민권을 신청할 수 있는 거주 기간을 14년으로 늘렸다. <외국인 친구에 관한 법>Alien Friends Act은 위험하다고 판단되는 외국인 거주자를 추방하는 권한을 대통령에게 부여했으며 또 다른 <외국인 적에 대한 법>Alien Enemies Act은 외국인의 모국이 미국과 전쟁을 하면 대통령이 그 외국인 거주민을 추방할 수 있게 만들었다. <치안법>Sedition Act은 정부와 관리에 관한 글이 거짓이거나 스캔들이 되거나 악의적이라고 판단되면 그 글의 출판을 금지했다. 제퍼슨과 메디슨을 비롯한 공화파들은 이런 법안들이 연방주의자들과 의견을 달리하는 이들의 언론 자유를 억압한다고 반대하며 각 주들은 연방의 법률제정을 무

과 차관 제공을 요구해 미국인들의 분노를 샀고, 파견단들은 협상 없이 프랑스를 떠났다. 협상의 실패는 '유사전쟁'(1798-1800)이라는 해전으로 이어졌고, 미국에 정치적 폭풍을 몰고 왔다. 정부를 장악한 연방주의자들은 국민적 분노를 군사력 증강에 이용했고 친 프랑스적 태도를 고수한 공화파를 비난하였다. 결국 미국과 프랑스 양국 간의 갈등은 미국 독립전쟁 당시 미국 독립을 위해 같이 싸웠던 프랑스와의 동맹 파기로 이어졌다.

효화시켜야 한다고 주장했다.

이런 정치적인 논쟁이 격렬하게 진행되던 1790년에는 음모이론이 대두하여 연방주의자들과 공화파들은 상대방을 서로 맹비난했다.

> 연방주의자들은 프랑스 혁명으로 불안을 느꼈고 그 뒤에 즈네 프랑스 대사의 방문[7]을 열렬히 반기는 폭력적인 민중들, 위스키 반란과 제퍼슨을 지지하는 공화파들의 연방주의 정책에 대한 격렬한 반대, 이 모두가 프랑스 혁명의 과격한 혁명주의자들에 의해 불이 붙었다고 주장했다. 한편 공화파들은 경제의 중앙 집중화를 주장하는 연방주의 정책은 미국 혁명이 이룩한 자유를 전복하려고 음모를 꾸미는 소수 독재 장관들의 부패를 보여주는 것이라고 했다. (Levine 17)

당시에 흉흉하던 음모 이론 가운데 가장 눈에 띄는 것은 1798년과 1799년 사이에 퍼져나간 '일루미나티 공포'Illuminati Panic인데 그것은 『오몬드』와 「복화술사 카윈의 회고록」("Memoirs of Carwin the Biloquist") 두 작품에 일루미나티 같은 비밀결사 모임에 가담한 인물들이 등장한다. 일루미나티 비밀조직은 이성적인 이상들을 증진하는 동호회로 와이스샤우프트Adam Weishaupt에 의해 바바리아 예수회Barvarian Jesuits와 대적하기 위해 만들어졌고 이 조직은 정부와 종교를 파괴하는 것을 목표로 유럽과 미국에서 비밀회원들을 통해 이루어졌다(Waterman 9-30). 미국의 회중파

---

7) <즈네 대사 방문사건>The Citizen Genêt Affair: 이 사건은 1793년 스페인과 영국을 상대로 전쟁을 치르는 프랑스를 지원해달라는 임무를 띠고 미국에 온 프랑스 대사 에드몽 즈네Edmond-Charles Genêt 1763-1834의 방문이었는데 연방주의자들은 이 방문을 좋아하지 않았다.

교회 목사 모스Jedidiah Morse는 1898년 5월 바바리아 일루미나티의 명령에 따라 움직이는 프랑스 요원들이 미국의 도시와 정치 제도를 파괴하기 위해 미국에 잠입했다는 설교를 남겼다. 프랑스의 음모와 관련된 이런 경고들은 이미 프랑스 혁명의 과격함과 <XYZ사건>, 서인도제도의 폭력적 반란과 같은 외국의 사태에 미국인들로 하여금 혐오감과 불안감을 더 느끼게 했고 <위스키 반란>Whisky Rebellion[8])을 통해 드러난 국내의 분열로 불안한 국민을 더욱 동요하게 만들었다(Bradshaw 356).

1798년 중반에 이르면 "일루미나티는 미국 가정에서 일상적으로 쓰이는 말이 되었고"(Levine 22) 모든 정치 망명자들은 브라운의 고향 필라델피아를 최종 목적지로 삼았다. 브라운이 살던 혁명 이후 미국의 긴장된 상황에 대해 셔플턴Frank Shuffelton은 당시의 상황을 이렇게 정리한다.

> 브라운의 소설이 발표되기 12년 전에 미국인들은 두 개의 반란을 진압했다. 그들은 유럽이 자기들을 스스로 집어삼키는 혁명의 소용돌이에 휩쓸려 들어가는 것을 지켜보았고 국제 사회에서 그들의 상대적인 무력함을 충분히 인식하게 되었다. 제퍼슨을 추종하는 공화파의 중심에 감추어져 있다고 생각되는 음모에 관한 해묵은 두려움이 미국인들로 하여금 수많은 위협적인 상황 아래 숨겨진 연결고리

---

8) <위스키 반란>Whiskey Rebellion: 펜실베이니아의 머논가힐라 강Monongahela River 유역 워싱턴 D. C. 근처에서 1791년에 시작해 1794년까지 이어진 폭동이다. 조지 워싱턴 정부는 국채를 상환하기 위해 위스키에 과세하기로 결정했는데 이것이 시민을 격앙시켜 반란으로 이어졌다. 남은 곡물을 술로 만드는 것이 전통이었던 농가의 위스키 생산에 대해 세금이 부과되면서 서부 펜실베이니아 개척지에 사는 농민의 심한 반발을 불러왔고 불공평한 차별이라고 생각했다. 정부의 조치에 대한 항의 집회가 열렸고 1765년의 인지세법에 대한 반대를 연상시키는 폭동이 일어났다. 워싱턴은 이들 '집회'에 강력 대응했으나 체포한 대부분의 국민을 석방했다.

를 추적하게 했고 국내외에서 자기네들을 괴롭힌다고 느끼게 만들었다. (97)

브라운의 일생 가운데서도 특히 창작 에너지가 폭발하던 1790년대 후반과 1800년대는 사회정치적인 사건과 진보적인 철학적 사상의 소용돌이 한가운데 있었다. 외국에서는 혁명들이 발발하고 국내적으로는 반란이 일어났다. 필라델피아에 쏟아져 들어온 이민자들과 함께 새롭고 급진적인 정책도 같이 들어왔다.[9] 미국 정부 역시 국민들처럼 분열되었고 음모 이론들이 널리 확산되고 공포가 국민을 사로잡았다. 브라운의 소설은 그 시대로서도 놀랍고 독특할 정도로 국가의 정체성의 반영한다(Christophersen 170).

브라운은 개인적으로 인간의 잠재성과 자유 의지의 한계를 절감하고 신에 대한 믿음에 의문을 표하게 되는 상황에 처하게 되었는데 그것은 바로 황열병이라는 전염병이었다. 브라운의 『오몬드』와 『아서 멀빈』에는 황열병으로 많은 사람들이 죽어가는 고딕적인 필라델피아가 등장한다. 이 두 소설들은 역병의 확산을 도덕적인 타락과 사회적인 위기를 상징하는 것으로 그리는데 이는 브라운이 이 전염병의 창궐을 직접 목격했고 그 병에 걸려 목숨이 위태로울 지경까지 갔던 체험에서 나온 것이다. 1790년대 여름마다 매년 미국의 대도시 특히 대서양 연안 도시에 황열병이 돌았다. 1793년에는 8월 후반부터 9월까지 6주 동안 2,500명, 전체적으로는 5,000명이 사망했는데 이는 필라델피아 인구의 10분의 1에 해당되는 무서운 역병이었다. 황열병은 1798년에 친구 스미스의 목숨을 앗아갔다. 그

9) 1790년대 필라델피아의 인구는 약 50,000명이었는데 10,000명가량의 독일 이민자, 수천 명의 프랑스 이민들, 3,000명의 흑인들이 거주했으며 매년 3,000명이 넘는 아일랜드 이주민들이 들어왔다(Kafer 107).

의 폭발적인 창작열은 친구의 죽음과 자신이 역병에서 회복된 직후 시작되었다.

5. 쟁점들

브라운의 글이 지니는 이념과 담론의 다양성은 1790년대와 1800년대 초기의 정치적이고 사회적인 주제에 관한 중요한 질문을 제기하게 만든다. 미국 헌법 제정 이후 새로운 교육을 받은 엘리트로서 브라운은 영국과 대륙 유럽에서 진행되는 자연과학, 의학, 정치학, 경제학에서부터 교육, 섹슈얼리티, 남성과 여성의 평등과 노예폐지론에 이르기까지 광범위하게 공부했고 초기 국가의 문화, 정치에 관해 글을 썼다. 이런 점에서 브라운은 한 사람의 개인 작가라기보다는 초기 미국학과 그 연구에서 여러 가지 이슈들에 대해 연구를 가능하게 하는 생산적인 기반으로 부상한다. 미국 독립 이후 문화에서 브라운이 차지하는 중심성은 그가 초기 미국 문화를 논의하는 스케일과 그 수준에 근거를 둔다. 브라운에 관한 최근 비평은 대체로 둘로 나눠지는데, 하나는 브라운의 작품을 미국의 정치적인 무의식이나 정치적인 당파성이 표출되는 증거로 보는 쪽이고, 또 하나는 브라운을 이념적이거나 당파적인 갈등에 참여하는 사람으로서가 아니라 그를 미국 문화를 진단하는 사람으로 읽는 방향이다(Waterman 236). 서로 다른 접근 방식에도 불구하고 양측의 연구는 브라운의 작품이 일관성 있게 미국의 초기 국민 문화에 참여하고 대변하고 있다는 사실을 당연하게 받아들인다.

다시 한번 브라운을 둘러싼 쟁점들을 정리해보자면 첫째, 그가 미국 문학의 고딕 전통을 처음 시도한 사람 혹은 혁신을 한 사람이고 둘째, 브라운은 18세기 계몽주의와 19세기 낭만주의 사이에 끼인 사람이거나 변화기에 걸쳐 살았던 작가라는 것이다. 셋째, 브라운은 당시 미국의 여러 사상들을 논하기 위해 소설을 이용했으며 넷째, 미국 문학의 여러 장르를 처음 시도했던 '첫째 중의 첫째'로서 지니는 역사적인 의의를 가진 작가로 미국 문학에 자리 잡는다.

이처럼 브라운의 소설들이 여러 상반된 평가에도 불구하고 중요한 점은 지금까지 우리의 관심을 끌고 있다는 점이다. 브라운이 주목을 받는 가장 큰 이유는 브라운의 작품과 주제들, 그리고 그의 작품이 이룩한 혁신적인 면과 성취가 21세기를 사는 현재의 우리와 연결되며, 미국 문학의 미래를 내다보고 가야 할 방향을 설정한 안목을 가진 뛰어난 작가라는 점 때문이다.

『알퀸』: 여권의 주장과 그 한계

1

미국 혁명 후의 진보적인 분위기는 여성이 자신의 의견을 좀 더 솔직하고 대담하게 표현할 수 있는 분위기를 조성했다. "1790년대의 급진적인 사회의 실험이 사회적인 속박에서 여성을 해방하고 여성들로 하여금 자신들의 욕망을 표현하도록 허용"(Teute 163)했는데 브라운이 1798년에 발표한 『알퀸』(*Alcuin; A Dialogue*)은 바로 이런 사회적인 분위기를 반영한다. 이 대화집은 미국이라는 신생국의 "여성 문제"를 둘러싼 지적이고 정치적 갈등을 논하고 있다. 이 작품은 여성의 도덕적인 "우월성", 여성의 교육, 여성들의 전문 분야 진입을 막는 장애물들, 여성에게 법적 권리와 발언권이 없는 점, 결혼의 본질과 이혼의 가능성과 같은 주제를 이야기한다.

필라델피아에 사는 카터 부인Mrs. Carter과 가난한 교사 알퀸Alcuin이

나누는 대화로 이루어진 이 글은 메리 울스턴크래프트Mary Wollstonecraft와 윌리엄 고드윈William Godwin이 브라운의 초기 사상에 끼친 영향력, 특히 18세기 후반의 여성의 권리문제와 관련된 영향을 보여준다. 영국 계몽주의 급진파인 울스턴크래프트는 여성의 교육과 사회적인 기회 균등에 대해 열렬히 주장한 사람이고 고드윈은 영국 낭만주의 운동에 참여했던 사람으로 무정부주의와 개인의 자유, 그리고 종교에 대한 거부를 주장하는 진보적인 정치 철학가였다. 『알퀸』은 당시의 역사적이고 정치적인 기류를 반영하고 브라운의 주요 소설을 관통하는 특성과 철학적인 주제를 먼저 보여주고 있다.

이 작품에 대한 비평의 폭 역시 브라운의 다른 작품에 대한 비평들만큼이나 다양한데10) 여러 가지 평에도 불구하고 이 글이 계속 우리의 주목을 받는 이유는 신생 공화국 여성의 역할에 대한 문화적, 정치적 논쟁을 보여주고 19세기와 20세기에 들어서 더 강력하게 제기된 문제들을 그때 이미 예견하고 있다는 점일 것이다(Kiener 5). 『알퀸』은 두 번으로 나누어 출판되었는데 이렇게 나누어 출판하게 된 이유는 당시 혼란스러운 정치적인 분위기, 즉 혁명을 완수했던 진보적인 미국에 불기 시작한 보수적인 바람을 나타낸다. 이 글은 20세기에 들어와서야 네 파트를 하나로 묶어서 발간되었다. 브라운 생전에는 1부와 2부만이 발간되었고 "부인, 혹시, 당신은 연방주의자이신가요?"라는 질문으로 시작되는 이 글은 여성 참정권과 교육에 대한 토론을 불러일으켰다. 1부와 2부는 1796년 겨울과 1797년 봄에 쓰였고 『주간 잡지』(*Weekly Magazine*)에 1798년 3월 17일

10) 『알퀸』에 관한 비평은 "굉장히 서툰 작품"(Hedges 115)이라는 비난에서부터 "걸작은 아니나 뛰어난 부분은 전반적으로 드러나는 결함을 넘어선다"(Davidson 75)는 지지, 그리고 "세련되고 위트 있는 작은 걸작"(Fleischmann 7)이라는 칭찬까지 폭이 넓다.

에서 1798년 4월 7일까지 시리즈로 나왔다. 브라운의 친구이자 그의 전기를 쓴 던랩William Dunlap은 이 글을 쓴 시기를 1797년 후반으로 잡지만 20세기 비평가들은 1부와 2부가 1796년 겨울에서 1797년 가을 사이에 쓰였다고 확정했다(Arner 276).

브라운의 친구 스미스Elihu Hubbard Smith가 1부와 2부를 묶어 책으로 발간했는데, 그는 1798년 2월에 뉴욕 출판사 <토마스 앤 제임스 쏘드스> Thomas and James Swords에 교정본 원고를 전달했다. 이 글은 1798년 두 달 뒤 책으로 나왔고 다음 주 1798년 5월에 저작권을 얻었다. 브라운은 이어서 3부와 4부를 썼으나 바로 출판되지 않았고 브라운 사망 후 5년 뒤에 던랩이 쓴 『찰스 브록덴 브라운 전기』(*The Life of Charles Brockden Brown*)에 실렸다. 3부와 4부의 출판이 미뤄진 확실한 이유는 알려져 있지 않다. 『알퀸』이 고드윈이 『정치적 정의와 도덕과 행복에 대한 그 영향의 탐색』에서 주장한 여성들의 유토피아에 관해 논의하고 있기 때문이거나, 아니면 미국 사회가 점점 보수화되는 것을 느끼고 브라운 자신이 마지막 부분을 발간하는 것을 포기했는지 혹은 스미스와 던랩과 같은 친구들이 당시 미국인의 취향에 너무나 급진적인 내용이라고 발간을 말렸는지도 모른다. 당시 미국에서는 울스턴크래프트와 고드윈의 사상에 대해 회의적인 분위기가 지배적이었기 때문이다.

울스턴크래프트가 쓴 『여성의 권리에 대한 옹호』는 여성이 처한 사회적, 정치적 불평등한 상황을 논하고 여성에게 남성과 동등한 권리가 주어져야 한다는 점을 열렬히 주장한다. 이 책은 『알퀸』이 말하는 여성들의 척박한 교육환경에 대해 논하면서 그런 교육이 여성을 노예로 만든다는 논의를 펼친다. 울스턴크래프트는 첫판 「서문」에서 이런 주장을 하고 있다.

> 서둘러 경솔하게 내린 결론에서 비롯된 다양한 이유들에 의해 여성들은 특히 약하고 건강이 아주 좋지 않다고 한다. 여성들의 행동과 태도는 정신이 건강하지 않고 여성들의 유용함은 아름다움의 추구에 희생당했다는 것을 분명히 증명한다. 이런 상태를 야기하게 된 원인을 나는 그 주제에 관해 남자들이 쓴 책에서 나온 거짓된 교육제도 때문이라고 생각한다. 남자들은 여자를 인간이라기보다는 여성으로 생각하고, 또 여성들을 사랑스러운 부인이나 이성적인 어머니라기보다는 유혹적인 애인으로 만들고자 한다. 여성에 대한 견해는 이런 겉만 번지르르한 경외심으로 가득 차 있고 지금의 문명화된 여성들은, 몇몇 예를 제외하고는, 여성들이 좀 더 고상한 야망을 가져야 할 때, 그들의 능력과 미덕으로 존경을 받아야 할 때, 오직 사랑받기만을 고대한다는 의견으로 가득 차 있다. (31-32)

울스턴크래프트는 특히 여성을 천성적으로 약하다고 하면서 여성에 대해 부정적인 철학을 주장한 루소를 반대한다. 그녀는 이제 여성은 "순한 가축"으로 양육되고 길들여지기보다는 여성의 타고난 성향이 무역과 같은 전문직에 부합하도록 교육받아야 한다고 주장한다. 따라서 울스턴크래프트는 18세기 여성들이 이성적인 학문을 배울 수 있는 교육과정을 제안하고 그 교육과정에는 문학, 의학, 역사, 정치 과목이 포함되어야 한다고 주장한다. 동시에 그녀는 여성 자신도 스스로 혁명적인 변화를 도모해야 한다고 하는데 "여성이 해방되었을 때 더 완벽해져야 하고 여성들은 남성들과 권리를 공유해야 하기 때문에 남성들의 장점들을 모방해야 된다"(287)는 것이다. 여성들이 독립적이고 자주적인 존재로 살기 위해서는 그에 걸맞은 교육과 훈련을 받아야 하며 경제적, 사회적 존립을 위해 결혼에 모든 것을 걸어서는 안 된다고 주장했다.

고드윈의 여성관은 이보다 더 급진적이다. 그는 개인의 자유를 제한하거나 억누르는 제도는 종교를 비롯해 사회정치적인 어떤 제도라 할지라도 폐지할 것을 주장했다. 『정치적 정의』에서 그는 결혼은 "재산의 문제이며 재산 문제에서도 최악이며, 모든 법 가운데서도 최악의 것"(2: 272)이라고 주장했다. 고드윈은 이 책의 서두 부분에서 결혼이란 개인의 자유의지를 억압하고 국가의 이익에 해롭다고 생각해 결혼제도를 반대했지만 점차 자기의 입장을 완화했다. 『정치적 정의』 후반부에는 일부일처제를 이상적으로 받아들였으나 이런 보완책이 그의 전반적인 사상에 부정적이었던 미국 보수파들의 인식을 변화시키지 못했다. 고드윈을 무정부주의자이며 무신론자라고 생각한 보수파들은 그를 반대했다.

벤저민 프랭클린Benjamin Franklin과 토마스 제퍼슨Thomas Jefferson 같은 진보적인 사상가들은 고드윈의 철학 가운데 여성의 권리와 결혼 제도에 관한 부분은 무시하고 혁명적인 개념, 특히 프랑스 혁명의 투쟁과 인간의 보편적인 권리에 대한 주장만을 수용했다(Kiener 15). 역설적으로 보수적인 연방주의자들이 울스턴크래프트와 고드윈이 주장하는 여성의 권리라는 주제에 관심을 표명했다. 예일대 총장 티모씨 드와이트Timothy Dwight를 비롯한 연방주의자들은 고드윈을 성적인 방종과 결혼제도의 거부, 그리고 우상파괴와 같은 전통을 파괴하는 사상을 전파하는 사람으로 생각했다. 진보적인 사상가들을 성적으로 방종한 부류라고 공격한 드와이트 같은 보수파들은 고드윈과 울스턴크래프트가 주장하는 급진적인 사상이 미국에 확산되는 것을 통렬히 비난했다. 많은 미국인들은 『옹호』에 나타난 울스턴크래프트의 사상을 의심했고 이 글을 이신론의 근거를 제공하고 결혼제도를 흔들며 프랑스 혁명의 급진적인 사상을 퍼트리는 위험한 책으로 인식했다.[11]

『알퀸』의 3부와 4부는 이런 변화가 발생하는 불확실한 시기에 완성되었다. 헌법을 제정한 다음 해인 이 시기는 프랑스 외교관들과 관련된 <XYZ 사건>(1798)이 발생해 국가 전체적으로 프랑스에 대한 분노가 팽배하던 때이다. 그 외에도 정치적, 사회적, 문화적 갈등의 소용돌이가 신생국 전체를 뒤흔들었다. <XYZ 사건>으로 촉발되어 1798년 여름에 <외국인과 치안 방해에 관한 법>을 제정하게 만든 외국인 혐오증과 재정적인 불안, 국가 전체를 하나로 묶는 연방정부가 확립되지 않은 상황, 1786년 <셰이즈 반란>[12]과 1794년의 <위스키 반란>과 같은 국내의 반란, 주와 주를 통괄하는 공통된 제도가 마련되지 않은 혼돈의 시대였다.

이런 정치적, 사회적, 지적인 기류가 『알퀸』에 드러난다. 여성의 권

---

11) 고드윈과 울스턴크래프트의 사상은 1799년 고드윈이 아내 울스턴크래프트의 죽음을 기리면서 쓴 『메리 울스턴크래프트에 대한 회고록』(*Memoirs of Mary Wollstonecraft Godwin, Author of "A Vindication of the Rights of Woman"*)에 울스턴크래프트의 인생이 자세히 기록되면서 더욱 적대감을 일으키게 되었다. 고드윈은 아내의 일생을 기록하면서 유부남 화가 푸셀리Henry Fuseli와의 관계, 그리고 결혼도 하지 않은 미국 작가 임레이Gilbert Imlay와의 사이에서 딸 페니Fanny Imlay를 낳았음에도 임레이에게 버림을 받고 자살을 시도했던 사실, 그리고 그 뒤에 고드윈과 임신을 한 다음 결혼을 하고 딸 메리Mary Shelley를 낳은 11일 뒤에 죽은 사실들을 이야기했는데, 이런 울스턴크래프트의 일생이 당시 미국인들에게는 부도덕하게 받아들여졌다(Vickers 103).

12) <셰이즈 반란>Daniel Shays' Rebellion은 1786년에서 1787년 사이에 매사추세츠에서 일어난 무장봉기로 독립전쟁의 재향군인이었던 대니얼 셰이즈가 4,000여 명의 재향군인과 함께 경제적, 사회적 불공정에 불만을 품고 일으킨 반란이다. 이 반란에 참여한 가난한 농민들은 전쟁 후 생활을 파탄 나게 했던 빚과 세금에 분노했었다. 부채 상환에 실패한 농민들은 채무자 감옥에 수감되거나 군에 의해 자산이 몰수된 경우가 많았다. 반란 가담자들은 지폐 발행 및 저율의 세금을 통해 부채 경감을 요구하였고, 매사추세츠 서부 법원을 강제 폐쇄해 법원이 빚을 진 농부들의 자산을 몰수하는 것을 금하고자 했다.

리와 결혼의 본질에 대한 진보적인 관점과 여권주의적인 유토피아에 대해 반론을 제시하는 3부와 4부는 1790년대 후반의 소용돌이치는 사회적인 기류를 나타낸다. 『알퀸』은 여성의 권리에 관한 토론과 그에 대한 사회적, 정치적 쟁점을 분명하게 표현한다. 왜냐면 1부와 2부 출판과 3부와 4부 출판은 남성과 여성이라는 양성평등에 대한 당시의 시류를 반영하기 때문이다(Davidson 72). 이 글은 당시 여성의 권리에 관한 논의에 대해 지녔던 브라운의 진보적인 관점과 그 한계를 짚어보고자 한다.

2

미국에서의 여성 문제는 브라운 이전에도 등장했는데, 가장 주목을 받은 것은 1776년 3월 31일에 애비게일 애덤스Abigail Adams가 남편에게 편지 형식을 빌려 했던 청원이다. 애비게일 애덤스는 남편과 남편의 친구들이 다음과 같은 점에 대해 유념해 주기를 원했다.

> 여성들을 기억하고 당신네 선조들보다는 여성들에게 좀 더 관대하고 호의적이 되십시오. 남편들의 손에 그런 무한한 권력을 주지 마십시오. 모든 남자들은 그들이 할 수만 있다면 독재자가 될 수 있음을 기억하십시오. 만약 여성들에게 특별한 보살핌과 주의를 기울이지 않는다면 우리 여성들은 저항할 것이고 우리에게 발언권이나 대의권을 주지 않는 어떤 법에도 복종하지 않을 것입니다. (150-51)

부인의 강경한 어조에도 불구하고 애덤스는 부인 애비게일의 청원을 진지하게 받아들이지 않았다. 부인 편지에 그가 보낸 농담조의 답장은 그와 동료 보수파들의 관점을 보여준다. 프랭클린이나 제퍼슨 같은 공화파들도 여성의 권리에 대해서는 이들과 다르지 않았다.

> 당신의 비범한 법규에 대해서 나는 웃지 않을 수 없소. 우리는 우리가 겪었던 혁명의 투쟁이 모든 곳에서 정부의 법규를 느슨하게 만들었다는 이야기를 들어왔소. 아이들과 도제들은 복종하지 않고 학교와 대학은 소용돌이에 빠져들었고 인디언들은 후견인들을 무시하고 흑인들은 주인들에게 무례하게 되었소. 그러나 당신의 편지는 앞서 말한 이 모든 사람들보다 더 수가 많고 강력한 종족들이 불만이 많다는 것을 처음으로 시사한 것이요. 우리는 우리 남성중심 제도를 거부하는 것보다 더 잘 알고 있다는 것만은 확실하오. (155)

"모든 인간은 자유롭고 자유는 창조주가 인류에게 선물한 것이며 인류에게서 빼앗을 수 없다"고 천명한 미국 헌법은 남성들에게만 해당되는 것으로 자리 잡았기 때문에 여성들의 불만에 찬 목소리는 좀 더 격렬해지고 여성들의 논쟁은 정점에 달했다. 결과적으로 미국의 신문 잡지에는 여성 문제에 관한 양측 입장의 글이 물밀 듯이 몰려왔다. 미국 초기 여성작가들의 존경을 받았던 애비게일 애덤스와 에세이스트이자 극작가인 워렌 Mercy Otis Warren의 글과 주장에 미국이 열렬한 관심을 보여주었지만 (Kiener 11-12) 여권 문제는 1796년까지 어떠한 움직임도 없었다.『알퀸』의 1부와 2부가 발표되기 2년 전인 1796년 뉴저지 주의 여성들이 주 선거에 투표권을 행사했을 때 여성참정권 문제가 시험대에 올랐고 신문 지상에 뜨거운 반응을 만들어냈다. 그러나 1807년 뉴저지 의회는 주 헌법에서 50파운드 이상의 재산을 소유한 모든 주민에게 선거권을 확대한다는 법안을 거부했다. 그 법안이 재산이 있는 여성에게 투표권을 부여할 수도 있다는 가능성 때문에 거부한 것이다.

『알퀸』은 고드윈과 울스턴크래프트가 주장하는 급진적인 철학을 다시 한번 생각하면서 미국이 국가로 자리 잡기 시작하던 시기의 여성의 권리와 사회 구조를 드러낸다. 이 글에서 이러한 사상을 테스트하는 브라운은 등장인물들을 자세하게 소개한 다음 이들의 대화를 통해서 이 주제의 여러 가지 면들을 탐색한다. 현명하고 신중한 중산층의 과부 카터 부인과 충동적이고 남의 의견에 쉽게 영향을 받는 가난한 교사 알퀸은 당시 사람들의 이목이 집중된 여성의 권리에 관한 사상에 대해 의견을 교환한다. 이 주제에 관한 상반된 입장을 밝히는 대화 형식은 브라운 자신이 내부에서 겪는 갈등을 짐작하게 만든다. 이 글에서 여성과 남성은 완전히 동등하다는 의견과 성의 차이는 계층 차이, 개인적 체험, 주어진 환경에 의해 만들어진다는 의견이 서로 충돌한다.

대화 전체를 통해서 교사 알퀸은 여성들이 처한 곤경에 대해 환경이 중요한 역할을 했다는 점을 인정하면서도 은근히 현재의 불공평한 상황을 그대로 유지하고 싶어 하며 여성이 남성에 복종하는 역할을 옹호한다. 반면 카터 부인은 여성이라는 성의 개념과 지금의 여성을 만든 조건들에 비판적이다. 브라운은 논쟁을 정중함과 양해를 구하는 조로 진행하는데, 이는 울스턴크래프트가 『옹호』에서 사용한 방식이다. 카터 부인이 미국 여성이 남성과 동등한 정치적인 권리를 가져야 한다고 주장하는 것은 울스턴크래프트가 프랑스 혁명가들이 여성에게 동등한 권한을 부여해야 한다고 피력했던 것과 유사하다.

『알퀸』은 알퀸과 카터 부인의 만남으로 시작된다. 가난한 알퀸은 자신이 문화 살롱가의 여주인격인, “부와 재능을 가진 이들의 오만한 태도를 지니며 적절한 때에 살롱에 입장해서 주위와 어울리는 자세로 자리를 잡는, 티 테이블에서의 예절"(43-44)에 익숙한 세련된 중산층 부인과 대화를 나누기에는 적절치 못한 매너와 외모를 지니고 있다고 생각한다. 알퀸은 "파우더를 바르지 않은 머리칼, 소모사로 짠 양말과 백랍으로 된 버클, 당황하는 태도 그리고 세련되지 못한 걸음걸이"(45)의 자기 모습을 의식한다. 살롱의 분위기가 어색하고 불안해서 그는 당시 18세기 여성을 당황스럽게 만들 수 있는 질문, "부인, 혹시, 당신은 연방주의자입니까?"(47)라는 질문을 갑작스럽게 던지게 된다. 그 질문으로 알퀸과 카터 부인은 혁명 후 미국 여성의 위치에 관한 논쟁을 시작한다. 느닷없이 묵직한 무게를 가진 질문을 받은 카터 부인은 그에게 답을 하는 대신에 이렇게 되묻는다.

> "뭐라고 하셨나요! 특히 그런 주제들에 대해서는 모든 여자들이 그러하다고 세상에 알려져 있는 것처럼, 생각이 깊지 않고 경험도 없는 여자에게 정치적인 문제에 관한 의견을 물어보다니요! 예의상으로도 여자가 정치와 무슨 관계가 있겠어요?" (47)

카터 부인의 이런 반문은 숙녀에게 예의에 벗어난 질문을 던지는 알퀸의 적절치 못한 매너를 부각시킨다. 살롱에서 행해지는 담화는 주로 정치에 관한 것이 많지만 카터 부인처럼 지적이고 정치적인 문제에 민감한 사람마저도, 여성은 공식적으로 '연방주의자'라든가 '공화파'라든가 하는 정치적인 입장을 가질 수가 없다. 여성이기 때문에 카터 부인은 선거에서 어느 정당의 편을 들거나 정부에 발언권을 갖는 일에서 자동적으로 제외된다. 카터 부인은 여기에서 모든 국민에게 자유와 평등이라는 민주적인 이상을 강조하는 독립선언서와 헌법 역시 여성을 배제했다는 점을 지적한다. 헌법을 기초하고 확정 지으면서 국민의 반을 이루는 여성들의 기본적인 권리들이 배제된 것이다.

> 여성인 내가 정치와 무슨 관계가 있겠어요? 세계에서 가장 자유롭다는 우리나라 정부마저도 여성들은 국민이 아닌 것처럼 간과했죠. 우리들은 최소한의 양식을 갖추지도 않은 채 모든 정치적인 권리에서 배제되었지요. 입법가들은 우리가 돼지나 양인 것처럼 그들의 자유에 관한 법률에서 우리를 포함하는 것을 전혀 생각하지 않았죠. (62)

카터 부인은 미국에서 정치적인 권리가 보장되지 않는 모든 사람들, 즉 21세 이하의 남자, 이민자, 재산이 없는 사람, 흑인 노예를 열거하면서 논쟁을 진행한다. 정치적으로 아무런 권리 없이 복종만을 해야 하는 이들을 일일이 열거함으로써 "세계에서 가장 자유로운" 정부에서 다양한 그룹이 배제된 것을 보여준다. 카터 부인이 여성은 집안의 소유 재산과 같다는 의미로 여성을 가축에 비유하는 것은 법의 입안자들이 여성을 무시한 것에 대한 분노의 표출이다. 『알퀸』은 또 다른 경고를 보여주는데 인구의 반에 해당되는 여성에게 보편적인 참정권과 남성과 동등한 권리를 국가가 부인하는 것은 국가의 해체로 나아갈 수도 있다는 점이다. 이 경고는 애비게일 애덤스가 22년 전 남편에게 "우리는 저항할 것이고 발언권이나 대표자가 없는 법에 복종하지 않을 것입니다"(151)라고 했던 말을 다시 한번 상기시키는 것이다.

미국 정부에서 여성의 법적, 정치적 권리를 배제한 사실은 카터 부인이 말하는 담론의 요지이다. 알퀸은 이에 대해 프랑스 혁명가 카노Carnot와 유명한 프랑스 혐오자인 연방주의자 포큐파인Peter Porcupine의 논쟁을 언급하는 것으로 화제의 방향을 돌리는데, 이는 연방주의자와 반연방주의

자라는 두 가지 맥락으로 읽힐 수 있다. 알퀸은 카터 부인에게 공화파가 견지하는 친 프랑스적인 관점에 반대하느냐고 묻는다. 이 시기는 존 애덤스 정부와 공화정 프랑스 간의 긴장이 계속되던 때로 <XYZ 사건>이 국민에게 알려지고 뒤이어 <외국인 치안 방해에 관한 법>이 통과된 시점이다. 당시 연방주의를 반대하는 공화파는 헌법이 보수적으로 기울어진 것에 대해 불쾌해했고 1776년의 진보주의를 반영하지 못한 것에 저항했다. 카터 부인의 대답은 진보주의자들의 요점을 포착한다.

> 만약에 정치가들이 관대하게 나를 존재의 계층에 들어오도록 허용해준다면 그럴 수 있겠지요. 그러나 좀 더 위엄을 차리게 된 성[남성]의 편의를 위한 것 외에는 내가 어떤 목적도 없이 존재한다는 사실이, 그리고 나 자신을 정부에 맡길 수 없다는 점이 확실시된다면 남성들의 독재에 미소를 지을 수가 없고, 그런 끔찍한 말들을 기초로 만들어진 법을 나의 복음으로 받아들일 수 없어요. 아니요. 난 연방주의자가 아닙니다. (63)

이 지점에서 이 두 사람 가운데 누가 브라운을 대변하는가를 생각해볼 수 있다. 처음에는 알퀸이 그의 대변인인 것처럼 보인다. 알퀸은 처음에는 카터 부인의 지적인 능력과 관심사를 얕잡아보았지만 대화가 진행되면서 카터 부인에게 설득당한다. 이들이 나누는 대화는 알퀸보다 더 지성적이고 합리적인 카터 부인이 대변인이라는 것을 강력하게 암시한다. 카터 부인은 알퀸의 생각을 펼치게 하는 허울뿐인 존재가 아니라 그들의 대화를 지배한다.[13] 알퀸은 카터 부인에게 압도당하게 되고 그녀에게 배우는 학생

---

13) 브라운은 이 작품에서도 남성을 작품 제목으로 설정했다. 『윌랜드』와 『오몬드』처럼 작품의 실질적인 주인공은 클라라 윌랜드Clara Wieland와 컨스탠시어 더들리

으로 변화된다. 카터 부인은 4부 전체에 걸쳐 그를 가르치고 리드하고 있다. 카터 부인은 자신이 대부분의 시간을 "항상 집에서 보낸다"고 하나 "수줍어하고 세상사를 알지 못하는 주부"로 사는 전형적인 중산층 여성이 아니라 탄탄한 논리로 토론을 진행하는 사람이다.

브라운이 자신의 대변인으로 상류층 부인이나 가난한 교사가 아닌 중산층 여성을 내세운 것은 울스턴크래프트의 관심을 완곡하게 반영한다. 『옹호』에서 울스턴크래프트는 귀족 여성과 중산층 여성의 역할을 대조하면서 "중산층 여성은 친절하고 정직한 사람이며 세속적인 현명함을 곁들인 명민한 상식을 가지고 있다. 그래서 그들은 감상적인 숙녀보다 사회구성원으로 더 쓸모가 있다"(I, 12)고 중산층 여성의 편을 들었다. '명민한 상식과 세속적인 현명함'을 갖춘 카터 부인은 울스턴크래프트가 주장하는 여성교육의 기회 균등과 여성의 정치적인 권리의 필요성을 지지하는 독자일 거라고 짐작할 수 있다. 카터 부인은 브라운이 창조한 인물 가운데 울스턴크래프트의 주장에 가장 가깝게 그려진 여성 컨스탠시어 더들리의 모델이 되는 인물이다. 소설 『오몬드』의 실질적인 주인공인 컨스텐시어는 이름 Constantia가 의미하듯이 안정적이고 용기 있고 지적이며 관대하고 지략이 있으며 호기심도 많은 여성이다. 그녀는 아버지에게서 뉴턴Newton, 하틀리Hartley, 테시터스Tacitus와 밀턴Milton의 작품을 배웠을 정도로 좋은 교육을 받았는데, 이는 브라운이 『알퀸』에서 주장한 교육이기도 하다. 카터 부인은 "기민하면서도 신중하고 주목할 만한 여성"으로 우리는 현실과 동떨어진 알퀸의 말보다 그녀의 주장을 더 신뢰하게 된다.

알퀸이 갑작스럽게 "카르노Lazare Nicholas Carnot의 칙령과 피터 포큐

Constantia Dudley이지만 이들보다 작품에서 차지하는 위치가 기우는 남자 주인공들인 윌랜드Wieland와 오몬드Ormond로 했다. 그는 남자 이름을 제목으로 정함으로써 자신의 글이 여성적이지 않다는 암시를 한 것으로 보인다.

파인Peter Porcupine[14])이라는 '진지한 법학자'에 대한 비판은 많은 토론 거리를 제공했다"(64)고 하는 말은 미숙한 그의 정치적 감각을 드러낸다. 카르노라는 프랑스 혁명론자와 카르노에게 독설을 퍼붓는 보수정치가 포큐파인에 대해 언급하는 것은 1790년대 정치적인 분위기를 드러낸다. 알퀸이 포큐파인을 "진지한 법학자"라고 하는 것은 잘 모르고 하는 이야기이다. 당시 포큐파인이 유명했던 이유는 그가 대중들을 상대로 쓴 작은 책자에서 비롯된 것이지 진지한 법학자로서 쓴 글에 근거하지 않기 때문이다. 미국에서 최초로 여성 문제를 다룬 책자인 「여성에 관한 편지」("An Occasion Letter on the Female Sex")를 쓴 페인Thomas Paine에 대해 포큐파인이 공격했던 글은 당시 독자들에게는 널리 알려졌었다(Vickers 97). 포큐파인에 대해 언급하고 있다는 사실은 알퀸이 드러내놓고 여권주의를 반대하지는 않지만 대화를 시작할 때의 그는 여성의 권리에 대해 그리 호의적이지 않았던 사람이라는 것을 암시한다. 그러나 카터 부인의 차분하고 논리적인 주장에 설득되면서 점차 알퀸은 고드윈 스타일의 열렬한 여권지지자로 변화되어 간다.

여성의 교육과 여성이 참여할 수 있는 직업 분야로 대화가 옮겨가면서 여성들의 교육 필요성을 알퀸이 피력할 때 카터 부인이 "이제 당신은 논리적으로 이야기하네요"라고 칭찬하자 용기를 얻은 알퀸은 자신의 여권

---

14) 카르노 칙령Carnot' Edict: 프랑스 혁명이 진행되던 시기인 1795-99년 사이에 카르노Lazare Nicholas Carnot, 1753-1823가 주미 프랑스 대사였던 피에르 아테Pierre Adet에게 내린 칙령으로 <제이 조약>을 맺은 조지 워싱턴 정부를 비난하라고 한 문서이다. 피터 포큐파인Peter Porcupine은 윌리엄 코벳William Cobbett, 1763-1835이라는 필명으로 글을 발표했다. *Life of Paine*(1796)에서 페인을 비방했는데 『알퀸』에서 알퀸이 포큐파인을 언급하는 것은 *Life of Paine*을 염두에 두고 한 것이라고 볼 수 있다 (Vickers 103).

지지적인 신념들을 확장해나간다.

> 여성들은 그들의 기회로 이익을 보지요. 우리가 여성들이 얻은 기술이나 사회에서의 유용함을 생각해보면 여성들은 특별한 예술교육을 받았고, 여성의 예술은 경멸적인 것과는 거리가 멀지요. 그러나 우리는 여성에게서 인간의 본성 가운데 최고의 원리인 지적 호기심을 완전히 없애버릴 수 없습니다. (48)

위 대화에서 알 수 있듯이 알퀸은 아직 예술교육이나 받는 여성의 전통적인 역할이 남성이 사회에서 하는 역할보다 훨씬 도덕적이고 명예롭다고 생각한다. 그러나 그는 계속해서 남성과 여성은 동등하고, 남성과 여성의 유일한 차이는 환경에서 비롯된 것으로 남성과 여성의 관심과 재능은 동등하게 비례한다고 말한다. 이에 카터 부인은 여성의 권리 주장에 대해 알퀸이 이면에 숨기고 있는 저항을 시험한다. 카터 부인은 알퀸에게 "여자 피타고라스female Pythagorases, 여자 리커거스Lycurguses, 여자 소크라테스Socrateses, 여자 뉴튼Newtons, 여자 로크Lockes가 없다"(50)는 것을 지적하지만 알퀸은 전통적인 여성상을 지지하는 태도를 쉽게 포기하지 않는다. 남성 중심적인 그의 언사에 카터 부인은 이렇게 대답한다. 그것은 "인간이 교육을 받지 않아도, 그리고 적절한 기회가 없어도 현명해지고 기술을 가지게 된다고 생각하는 것은 당신이 라플란드 사람들이 그리스어를 배우지 않고도 자동적으로 그리스어를 쓸 거라고 기대하는 것이나 마찬가지"(50)라는 것이다. 이는 여성에게 남성처럼 교육과 직업의 기회가 주어지지 않았기 때문에 뉴턴 같은 여성을 기대할 수 없다는 말이다. 그런데 사회는 뉴턴 같은 여성이 없기 때문에 여성이 더 열등하다고 말한다는 것이다. 이처럼 잘못된 사고 방식을 밝히는 일은 여성에게 부과된 불공정과 부당함을 드러낸다.

카터 부인은 엄정한 태도로 "모든 불공평에 관해서 얘기할 때에, 유용성과 명예로움으로 나아가는 모든 길에서 인류의 반이 제외되는 이유를 여성이 처한 상황을 배제하고 설명하려는 것은 정말 터무니없는 거죠" (51)라고 계속 자신의 의견을 피력한다. 여성은 무지하고 비효율적이라는 주장은 여성에게 남성들이 날 때부터 가지고 태어나는 능력이 없어서가 아니라 여성이 지식과 명예를 얻을 수 있는 교육을 받을 기회가 전혀 없었기 때문이라는 주장이다.

알퀸은 여성의 진입을 금하는 직업 분야로 대화를 옮겨간다. 알퀸은 여성이 직업 훈련을 받거나 직업을 가지도록 허락된다면 남성에게 의존해야만 생존이 가능한 여성들의 곤경이 개선될 것이라고 한다. 하지만 앞뒤가 맞지 않는 알퀸의 궤변은 특히 부인, 어머니, 주부로서 여성의 역할을 지지할 때, 여성을 '집안의 여신'이라고 할 때 결국 드러난다. 그는 가부장적 관점을 옹호하는 사람이며 진보적인 사상가나 여권론자가 아니다. 헌법을 기초하고 완성했던 남자들처럼 그는 존 애덤스가 "남성적인 제도"라고 칭한 관습을 그대로 유지하고자 한다. 그러나 여성이 사회에서 할 수 있는 역할보다는 집안에서의 역할에 특권을 부여하는 듯한 그의 주장은 여성의 도덕적 우월성에 대한 주장에도 불구하고 가부장적이고 남성 중심적이다.[15)]

15) 알퀸과 카터 부인과의 대화는 당시 미국 여성의 교육 필요성을 주장했던 벤자민 러시Benjamin Rush와 주디스 사전트 머레이Judith Sargent Murray의 입장과 비슷하다. 러시는 여성도 교육을 받아야 한다고 주장했지만 그가 주장한 것은 현명한 주부가 되기 위한 교육이었고, 여성에게 정치적인 권한을 주는 것에는 반대했다. 러시가 여성이 집안에서 정치적인 영향력을 행사하는 것은 바람직하다고 주장했던 반면 머레이는 여성은 교육을 통해 독립할 수 있고 미국 공화국의 가치에 부합하는

알퀸은 여성도 상인이나 은행가가 될 수 있다고 한다. “상인이라는 직업은 성공과 위엄을 가지고 해나갈 수가 있을 거예요. 여성 은행원과 상인도 있지요. 여성에게 그런 직업들은 기술과 고귀함 그리고 풍요로움을 누릴 자격이 있다는 생각을 하게 만들겠지요”(54)라는 알퀸의 말에 카터 부인은 계속 질문을 던진다. “내과의사라는 집단에서 여성이 배제되는 것에 대해 당신은 어떻게 사과할 건가요?”(54) 이에 알퀸은 대응을 잘해낸다. 그는 자기 할머니가 의술이 좋았다고 하면서 그 분야에서 여성들이 했던 공헌에 대해 말하면서 빠져나간다.

그러나 카터 부인이 여성이 법조계에서 제외되는 문제를 던졌을 때 알퀸은 그 직업이야말로 여성에게 가장 어울리지 않는 직업이라고 강경한 어조로 대답한다.

> 사실, 우리는 법정에서 여성 변호사를 보는 것이 익숙하지 않습니다. 저는 여성들을 그런 곳에서 보고 싶지 않아요. 그러나 학문으로서 법은 여성들의 호기심과 자비심을 자극할 수 있지요. 여성들을 많은 사람들이 쳐다보는 장소에 나서도록 강요하지 않고도 학문으로서의 법 공부는 이익을 얻을 수도 있겠지요. (54)

어떤 비평가들은 이 구절을 브라운이 법조계에 가지는 보편적인 반감으로 해석하며 여성을 법조계로부터 제외하려는 알퀸의 바람과 연결한다. 법률 공부를 중도에 그만둔 브라운은 법률가란 여성 남성 누구에게도 맞지 않

산업적인 특성을 배양할 수 있다고 주장했다. 머레이는 여성이 실질적인 직업교육을 받아 경제적으로 독립해야 하고 배우자를 경제적인 존립을 위해서가 아니라 개인적인 이유에서 선택함으로써 더 행복한 결혼을 할 수 있다고 주장했다(Kerber 205).

는, 젠더 이슈를 초월하는 직업이라고 생각했다.[16)]

더 넓은 의미에서 이러한 법조계에 대한 간단한 언급은 『알퀸』이 브라운의 주요 소설들을 관통하는 주제의 출발점이라는 것을 강조한다. 그러나 좀 더 구체적으로 들어가면 알퀸의 태도는 그가 여성의 전통적인 역할을 '영광스럽게' 만드는 가부장적 태도를 감추려는 과장된 행동이다. 그러나 우리는 결국에 가서 알퀸이 카터 부인의 관점에 동의하는 것을 보게 된다. 그는 여성들이 기소자로서 법정에 서는 것을 보고 싶어 하지 않고 여성들이 변호사라는 '강도질'에 종사하는 남성보다 도덕적으로 우월하다고 한다. 그는 여성들이 판사와 학자로서 일한다면 법과 정의의 시행에 본질적인 의무를 할 수 있을 것이라고 말한다.

이런 의견은 여성이 '집안의 여신'이라는 개념에서 멀어진 것이다. 이는 2부가 끝날 무렵 알퀸이 카터 부인의 생각에 좀 더 다가왔거나 아니면 적어도 그녀의 관점에 대해 많이 생각하게 되었다는 것을 보여준다. 알퀸은 여성이 지적으로 남성보다 열등한가라는 질문에 대해 이런 편견을 영속화하는 사회적인 제약과 교육을 예로 들어 길게 이야기한다.

> 처음에는 남자들이 자신들을 지적으로 우월하다고 생각하는 듯이 보이죠. 하지만 이 주장으로부터는 아무것도 추론해낼 수 없죠. 여성들이 본질적으로 우수한가 우수하지 않은가에 관한 질문에 대해 남자들이 올바르게 판단할 수 있는지는 의심스럽습니다. 남성들은 흔히 자기들의 우월성을, 올바로 이해했다면, 수치심과 모욕으로 가득 차 있는 곳에 갖다 놓지요. 남성들이 지적으로 여성들을 능가한

---

16) 브라운이 법률가라는 직업을 혐오했다는 것은 잘 알려진 사실이다. 이는 브라운이 알렉산더 윌콕스Alexander Wilcox 법률사무소에서의 도제 시절에 대한 혐오감에서 비롯된 것으로 추측한다(Nancy Rice 803, Jay Fliegelman xiv).

다는 믿음에 여성들이 동의한다면 그것은 별로 도움이 되지 않을 것이에요. 여전히 의견이란 그 존재에 대한 증거일 뿐이라는 걸 모든 사람들은 기억해야만 합니다. 이런 의견은 정말로 불쾌하죠. 남성들은 자기들이 배운 것을, 그들의 교사들이 남자였다는 것을 되풀이할 뿐입니다. (72)

알퀸은 가부장 제도의 악, 즉 국민의 반을 차지하는 사람들의 권리를 제한하고 복종하게 만드는 잘못을 인정한다. 이 주장은 남성의 독재는 여성을 노예화하고, 여성이 열등한 지성을 가지고 있다는 그릇된 가정을 확산시킨다는 울스턴크래프트의 주장을 반영한다. 여성은 가부장제에 의해 교육받았기 때문에 성차별을 영속화하는 제도에 의문을 제기하지 않는다는 것이다. 알퀸의 목소리는 엄격해지고 여성들이 혁명적으로 자신들의 태도를 변화시켜야 한다는 것을 요구한 울스턴크래프트의 주장을 조용히 강조한다. 이 연설에서 우리는 알퀸이 3부와 4부에서 취하는 역할을 예견하게 되고, 그가 남녀평등이 구현된 사회를 주장하는 사람으로 변화된 것을 예측할 수 있다.

알퀸이 일주일 뒤 살롱에 다시 왔을 때 그는 고드윈의 영향을 받은 사람으로 변화되어있다. 그는 카터 부인에게 지난주에 젠더의 구분이 없고 남성과 여성의 의견이 구분되지 않고 자연스럽게 녹아드는 '여성들의 낙원'을 여행했다고 한다. 알퀸이 했다는 방문은 유토피아적인 환상일 뿐 알퀸은 고드윈의 작품들을 훑어보는 시간을 가진 것으로 짐작된다. 그가 자세하게 들려주는 낙원은 카터 부인과 나눴던 대화에서 얻은 개념보다는 고드윈의 『정치적인 정의』의 개념을 따라간 것처럼 들리기 때문이다.

이 부분은 카터 부인이 재치 있게 계속 질문을 던져 중단되기는 하지만 알퀸의 독백이나 마찬가지이다. 알퀸은 여성들의 낙원을 "성별에 따라 옷을 입지 않고 주민들이 모두 비슷한 옷을 입고 모든 오락과 지적인 활동을 공유하는"(79) 유토피아 공화국으로 그린다. 더군다나 이 사회는 제퍼슨적인 농업주의를 받아들이고 농업을 가장 고상한 삶의 방식으로 받아들인다. 이곳에서는 남성과 여성들이 같이 추수하고 수확물을 공유한다. 남성과 여성의 성적인 차이에 대해 질문을 던지는 알퀸에게 "모든 것이 믿지 못할 정도로 이상하네요. 왜 같은 본성을 가지고, 같은 장소에 살고, 같은 영향을 받는 존재들이 그렇게 다를 수 있는지 놀랍네요. 그런 양식은 편리하지도 않고 우아하지도 않군요"(81)라며, 여기는 성의 차이보다는 개인의 차이에 근거해 모든 것이 결정된다고 하면서 "도대체 누가 성에 부합하는 특정한 직업이 있다고 가르쳐주었느냐?"(85)고 의아해한다.

이 낙원에는 결혼제도도 존재하지 않는다. 브라운은 고드윈의 사상에 매료되었지만, 고드윈의 급진적인 철학에 그가 동의하지 못한 점을 이 지점에서 밝힌다. 카터 부인을 통해 브라운은 고드윈과 그의 추종자들에게 이견을 제시한다.

> 논객이라는 부류들이 최근에 부상했는데 그들은 시민사회의 가장 심오한 기초를 만드는 것을 목표로 한다지요. 그들이 사리분별에 대해 하는 연설은 전혀 경멸할 수 없는 기술이라고 생각되었어요. 그러나 그것으로는 충분하지 않습니다. 그 논객들이 하는 새로운 주장의 결과에 대해서는, 그 주장이 초래한 결과를 자세히 보여주고, 환상을 강화하고 좋아하게 해서 그들의 진실에 우리가 동의하게 만들어 우리의 의심을 누그러뜨릴 필요가 있지요. (91)

카터 부인은 결혼하지 않고 남녀가 동거하는 것이 더 바람직하다는 점을 주장하는 고드윈을 비난하는데 동거는 자존감, 헌신, 자유, 파트너에 대한 믿음을 깨뜨린다고 주장한다. 이 의견은 1부와 2부에서 주장한 입장에서 물러선 것처럼 보이는데 카터 부인은 결혼은 필요하고 경건한 제도라고 주장한다. 그녀가 반대하는 것은 결혼제도가 아니라 결혼과 연결된 법적인 권리들이다.

> 결혼은 신성한 제도이지만, 관습과 우발적인 사건들이 결혼과 연결되게 만든 모든 상황들도 결혼만큼이나 똑같이 경건하다고 생각하는 건 불쌍할 정도로 어리석은 거죠. 결혼은 신성하나, 불평등한 법들이 결혼을 노예제도의 계약으로 만들고 실행 불가능한 조건들을 부과하고 불경한 약속을 강요함으로써, 대부분의 나라에서 결혼제도를 극악무도하고 증오스러운 것으로 변화시켜 버리죠. (96)

결혼에 대한 역겨운 여러 현실들을 이야기하면서도 카터 부인은 결혼을 견딜 수 없는 상황으로 비칠 수 있는 안을 철회한다. 이들의 대화는 카터 부인이 울스턴크래프트적인 결혼관에 근거해 고드윈의 급진적인 철학을 거부하는 것으로 끝이 난다(Davidson 85). 브라운은 "결혼은 자유롭고 상호적인 동의에 근거한 결합이다. 그것은 우정 없이는 존재할 수 없다. 그 결합이 자발적인 것이 아닌 게 된 순간, 그것은 공정하지 않게 된다. 이것이 최종적인 의견이다"(105)는 카터 부인의 말로 이 대화를 마무리한다.

이 글은 결국 결혼 제도라는 사회의 기존 질서를 다시 옹호하는 것으로 끝맺는다. 이 글의 말미에 알퀸은 배우는 학생이자 몽상가로 변화되어 남고, 브라운의 대변인이었던 카터 부인도 너무 급진적인 고드윈의 결혼관에서 한발 물러나는 것처럼 보인다. 카터 부인이 결혼제도와 이혼의 가능성을 옹호하는 입장은 여성에게 투표권을 부여하지 않는 사회에서는 울스턴크래프트의 이상에 동의하는 것으로 남는다. 3부와 4부 후반부는 알퀸이 『정치적인 정의』를 읽었을 거라고 짐작하면서 카터 부인과의 대화를 통해 고드윈이 주장한 여성 문제에 관한 급진적인 관점을 훑어본 것이다. 카터 부인이 "내가 몇 달 동안 이야기를 계속한다 하더라도 지금 내린 정의에 한마디도 더 보탤 수가 없다"고 하는 마지막 논평은 브라운의 속내를 드러낸 것이라 할 수 있다. 브라운은 미국 혁명이 끝났음에도 불구하고 역사의 기나긴 시간 동안 지속되어 온 가부장적인 제도가 만들어낸 남녀차별의 문제가 이 짧은 대화로는 해결될 수 없음을 알았을 것이다.

앞서 주장한 진보적인 입장에서 약간 물러나 확립된 질서의 틀을 깨뜨리는 걸 반대하는 카터 부인의 주장은 모순되게 들린다. 그러나 『알퀸』 대화집의 대변인 역할을 하는 카터 부인의 의견이 변화되는 것은 브라운이 당시 미국에 보수주의의 물결이 밀려오는 것을 느낀 증거일 수 있고, 당시 연방주의자가 정권을 잡은 미국의 사회정치적인 기류에서 비롯된 것일 수 있다. 아니면 보수파와 진보파 간의 논쟁이 점점 늘어가는 현상에서 받은 영향과, 고드윈의 급진적인 일부 의견에 대해서는 수긍할 수 없었던 브라운의 양가적인 태도를 말하고 있다.

『알퀸』은 여성의 정치적, 법적인 권리나 결혼 제도에 대해 일관성이 없는 것처럼 보이는 모순과 괴리가 가득하다. 그러나 18세기 후반 미국의 문화적인 담론의 맥락에서 그 글을 읽는다면, 우리는 이들의 대화가 당시 미국이라는 사회와 브라운의 사상이 테스트 되는 시험장이라는 것을 알 수 있다. 『알퀸』에서 이 대화를 나누는 두 인물의 입장이 서로 뒤바뀌는 변화를 통해 당시 미국의 상황을 반영하면서도 궁극적으로는 브라운은 고드윈과 울스턴크래프트 사상의 정당성을 검토하고 질문을 던지면서 여성의 권리를 지지한다.

이 글은 사회, 정치, 문화가 포괄적으로 토의되는 광장에서 상충되는 많은 목소리가 들려오듯이 그만큼 많은 목소리가 침묵 당하는 것을 암시한다. 여기에서는 그 많은 목소리가 두 가지 의견으로 압축되지만 이 두 목소리가 여성과 남성의 동등함과 여성의 참정권을 지지하면서도, 과격하고 통제되지 않는 급진주의에 대해서는 제재를 가하고 있다. 이 대화집은 브라운이 급진주의적 성향에서 보수주의적으로 변화되어 갔다는 전통적인 비평을 수정한다. 최근 브라운 연구자들이 주장하듯이 브라운은 처음부터 끝까지 사회 이념과 정치적 경향에 대해 관찰할 수 있는 일정한 거리를 유지하고 있다. 브라운이 초기에 쓴 이 글 역시 그는 당대의 문화와 사상에 관한 토론의 장으로 사용하며 급진주의와 보수주의 어느 쪽에도 휩쓸리지 않는 양가적인 입장을 고수했다는 것을 찾아볼 수 있다. 당시로서는 가장 급진적이었던 사상을 서툴기는 하지만 진지하게 논하면서 일정한 거리를 유지하려고 노력한 이 글의 특성이야말로 브라운이 우리를 계속해서 자기 세계로 초대하는 매력이 될 것이다.

『윌랜드』: 가족의 이야기, 미국의 이야기

1

1846년 마가렛 풀러Margaret Fuller는 찰스 브록덴 브라운 소설의 재발간에 대해 이렇게 기뻐하고 있다.

> 우리는 브라운의 소설[『오몬드』와 『윌랜드』]을 다시 출판하게 된 것을 기뻐한다. 그는 우리나라의 자랑으로 여겨졌어야 할 사람이었으나 우리는 오랫동안 그를 부끄러워했었다. 수준 높은 정신에서 다른 소설가들보다 훨씬 앞서있었던 그를 대중으로서는 거의 접근하기 어려웠을 것이다. (Rosenthal 62)

브라운에 대한 19세기 미국의 평가를 짐작할 수 있는 그녀의 평은 20세기에 와서도 여전히 되풀이되고 있다고 볼 수 있다. "미국 고딕소설의 창시자", "미국 문학의 개척자"라는 평가에도 불구하고, 그에 대한 비판의 소리 역시 적지 않았다. 미학적인 통일을 강조하는 신비평가들에 의해 그의 소설은 기괴한 플롯, 과도한 상징, 매끄럽지 못한 결말, 중간중간 다른 이야기가 끼어드는 일관성 없는 구성이 부각되어 고딕소설을 모방한 작가의 진부한 작품으로 평가 절하되기도 하였다(Cowie 69).

그러나 대중적인 미국 소설을 "문화적 작업"으로(xv) 보아야 한다는 톰킨Jane Tomkin의 주장과 더불어 많은 비평가들에 의해 초기 미국 소설을 다른 관점으로 보아야 한다는 의견이 대두되었다. 데이비슨Cathy N. Davidson은 "초기 미국 소설은 새로 부상하는 나라의 두려움과 환상을 표현하려는 정치 문화적 장의 역할을 하였다. 비평가들은 이제 신생 미국에서 쓰인 글을 정치적 작품으로, 인종적, 성적 차이를 담아내려는 국가의 문제를 담고 있으며 위기의 시대에 개인과 나라의 정체성을 규명하려는 작품으로 읽기 시작하였다"(15)고 피력하였다.

이와 같은 시각은 브라운의 작품을 재평가하는 데에도 적용되어 그의 작품은 "18세기 미국 사회가 벌이는 논쟁에 진지하게 참여한 작가가, 그 시대의 중요 문제에 대해 복합적으로 사고한 것을 기록한 글" (Chapman 14)로 새롭게 해석되었다. 그의 소설들이 신생국의 문제를 심도 있게 논의하고 있다는 맥락에서 브라운은 "신생국에서 탄생한 첫 번째 진지한 작가"(Watts 72)로 자리매김하게 되었다.

2

영국으로부터 정치적 독립을 쟁취한 지 얼마 되지 않은 18세기 말의 미국은 희망에 차 있으면서도 불안정한 신생 국가였다. 사회적인 모든 면에서 격렬한 변화를 겪고 있던 미국은 혁명American Revolution이 끝난 사회

이면서 변화와 그에 따르는 불안감으로 혁명이 진행되던 사회였다. 브라운의 생애는 정치적으로나 사회적으로 격심한 변화가 진행되는 시대에 걸쳐있었다. 새로운 정치체제를 구성하는 체험을 규명하고 혼돈의 시대를 살아가는 인간의 개성과 영혼을 그리고자 하는 그의 욕구는 자연스럽게 미국 문학의 창조에 간여하게 되었다. 그에게 미국인이란 변화해야 한다는 것을 의미했으며, 새로운 나라의 작가는 자신의 탄생에서부터 직업에 이르기까지 구세계와 신세계에 걸쳐 존재해야 했다. 그는 정치적으로는 영국(유럽)과 미국, 역사적으로는 과거의 전통과 미래로의 진보, 사상적으로는 자유주의와 그것에 대한 반동, 종교적으로는 열렬한 신앙과 회의주의, 경제적으로는 공격적인 신흥경제인의 부상과 전통적인 부유층의 침몰 등 갈등과 모순으로 가득한 문화 속에 살았었다. 브라운은 사건과 사물의 외양과 내적 동기, 그리고 인물의 정체, 이 모든 것이 모호하고 경악스러울 정도로 유동적인 사회를 그려냈고, 그런 세계를 통해 자기가 살았던 독립혁명 뒤의 사회가 갖는 불확실성을 표현하였다(Fussel 172).

브라운은 소설을 통해 민주 사회에서 권위의 존재, 국민적 인물과 정체성의 확립, 성과 섹슈얼리티에 대한 후기 계몽주의적 관점, 개인적인 자유와 공동체에 대한 책임 사이의 균형, 변화하는 시대의 변화되는 가치 등과 같은 주제들을 다루고 있다. 그의 정치적 입장에 대한 의견은 대체로 두 가지로 나눠진다. 첫째 그가 인간의 타고난 선함과 완전함, 전원적인 삶에 대한 확신, 프랑스 혁명을 지지하는 토마스 제퍼슨Thomas Jefferson의 이상주의를 신봉하는 사람으로 보는 견해와 둘째 인간성에 대한 회의, 법과 질서를 유지하기 위한 정부 통제의 필요성, 프랑스 민주주의의 극단성과 종교의 해체에 대한 두려움으로 특징지어지는 연방주의자라는 주장이다. 톰킨은 브라운이 『윌랜드 혹은 변화: 미국 이야기』(*Wieland; or,*

The Transformation; An American Tale)가 출간되었을 때 당시 민주당Democrat-Republican Party의 리더였던 제퍼슨에게 한 권을 보냈다는 사실에 근거해, 이 작품을 해를 끼치는 외국인에 의해 파괴되어 가는 전원적인 목가를 나타내며 "시민 질서의 회복에 대한 호소와 우중mob이 만드는 법의 위험성에 대한 경고"로 읽었으며(58), 새뮤얼스Shirley Samuels는 미국의 타락을 외국의 좋지 않은 영향으로 돌리는 연방주의자들에 대한 비판으로 보았다(52).

브라운이 소설을 발표하던 시기가 "급진적인 이데올로기를 지지하던 젊은이에서 보수적인 사고방식으로 전환되는 격심한 변화를 겪던 때" (Watts 131)였는지, 혹은 데이비슨의 주장과 같이 그의 소설들은 자기주장을 표명하는 게 아닌 상반된 견해를 논의하는 장("The Matter and the Manner" 82)이었는지 분명하게 가늠하기는 어려우나 대부분의 전기 작가들은 1798년이 그의 인생에서 전환기였다는 데 동의한다(Chapman 20). 필라델피아와 뉴욕을 왕래하던 그가 뉴욕에 정착한 1798년, 그곳에서 친구와 후원자들을 황열병으로 잃었다. "신의 선의에 의문을 제기하고 우주의 계획 내에 인간은 아무 의미가 없는 것으로 여길 정도로"(Clark 168) 깊었던 개인적인 슬픔에 덧붙여 전염병의 창궐로 흔들리는 어린 나라를 목격한 브라운은 자신과 국가에 대한 심각한 위협에 쫓기면서 소설 창작을 한 것이다.

첫 작품인 『윌랜드』에서 브라운은 한 가족을 창조하여 그들의 맹점이 어떻게 그들을 비극적으로 추락하게 만드는지, 그리고 그들의 비극이 어떻게 미국 사회의 문제와 연결되는지를 보여준다. 독립혁명 당시 수많은 정치적인 팸플릿에 등장하는 국가를 대표하는 가정은 그 무렵에 발표된 다른 소설에서도 찾아지는데, 국가의 문제가 가정의 딜레마를 통해 다루어졌다. 이제 만들어지기 시작하는 국가가 유지되기 위해서는 국가를 뒷받침하는 기초 단위로서 구성된 가정을 유지할 필요가 있다고 여겨졌기 때문이다. 한 가족의 비극으로 미국 사회 전체가 안고 있는 문제를 보여주는 이 소설은, 어느 한 사람에게 초점을 맞추기보다는 사회의 기본 단위인 가족에 대해 생각하도록 만들고 있다.

브라운은 이 소설에서 인간을 기본적으로 사회적 존재로 강조하고 있으나 작가가 이들 가족을 통해 제시하는 사회질서는 회복될 기미가 거의 없는 붕괴에 가까운 상태이다. 미국 문학에 등장하는 첫 번째 가족이랄 수 있는 이 가족의 역사는 끔찍한 살인과 근친상간을 겪은 고대 로마 역사 속의 가족과 평행을 이루며, 고대 로마의 가족 비극은 윌랜드 가족이 미국 사회의 실패를 보여주는 표본이 된다. 이 소설에 등장하는 가족의 성격, 실패와 타락의 원인 그리고 비극적 결과가 이 소설의 중심되는 관심거리이다. 소설 서두에서 윌랜드Theodore Wieland와 플리엘Henry Pleyel이 논쟁을 벌이는 키케로Cicero의 "클루엔티우스를 위한 연설"Oration for Cluentius은 고대 로마시대의 클루엔티우스라는 막강한 가문에서 일어난 근친상간과 가족 살해를 통해 로마제국의 해체를 우회적으로 이야기하고 있다(Weldon 2). "나라 상황의 윤곽을 그릴 수 있는 한 가족의 상황"(30)에 대해 이 두 사람이 하는 논의는 윌랜드 가족 내부에서 일어나는 잔인한 살인 드라마가 가족의 범위를 넘어 더 넓게 적용될 수 있는 가능성을 제시한다. 이들 가족의 파국에 초점을 맞춤으로써 이 소설은 모순에 차 있고 유동적인 신생국가의 표면에 가려진 문제들을 들추어내고 검토한다.

이 작품을 당시 사회 문제를 담아내는 문화적 텍스트로서 읽고자 하는 이 글은, 이제 막 독립을 이룩한 나라의 혼란스러운 사회를 살아갔던 작가가, 사회의 여러 문제로부터 거리를 유지함으로써 평온함과 안정을 도모하고자 했던 한 가족이 파국으로 치닫는 비극을 제시함으로써 미국 사회에 잠재되어있는 위험과 갈등을 어떻게 표출해내며 또 어떻게 해석하고 있는지를 찾아보고자 한다.

3

이 소설은 필라델피아 외곽의 전원에 자리 잡은 윌랜드 가족을 중심으로 이야기가 전개된다. 유럽에서 태어나 자란 윌랜드의 아버지는 인디언을 개종시키겠다는 종교적 사명감에 불타 미국으로 건너왔었다. 그러나 아버지가 원인을 알 수 없는 불길에 싸여 돌아가시고 어머니 역시 아버지의 뒤를 따르게 되자, 윌랜드와 그의 누이동생 클라라Clara는 독신 아주머니의 보살핌을 받으며 성장하게 된다. 어른이 된 남매는 아버지의 농장 메티겐Mettigen으로 돌아와 친구 캐더린Catherine과 그녀의 오빠 헨리 플리엘과 가까이 지낸다. 윌랜드는 캐더린과 결혼하여 네 명의 자녀를 갖게 되고 이들은 한가로운 전원생활을 즐긴다. 클라라와 플리엘 역시 애정을 키우게 된다. 그러나 이야기가 진행되면서 윌랜드는 정체를 알 수 없는 목소리를 듣게 되며 그 목소리는 점점 더 그들의 삶에 깊숙이 침입하게 된다. 이 기이한 사건은 이것이 초자연적인 현상인가 아닌가에 대한 논쟁을 낳고, 그러는 와중에 정체를 알 수 없는 인물 카윈Francis Carwin이 그들에게 접근해 온다. 그는 강렬하고 변덕스러운 성격으로 가족들에게, 특히 클라라에게 깊은 인상을 남기게 된다. 일련의 이상한 사건들이 연속으로 일어나는데 심지어 카윈이 클라라의 침실 벽장에서 발견되고, 헨리는 강가에서 듣게 된 대화로 카윈과 클라라의 관계를 의심하게 된다. 이들 가족 모두가 누구인지 알지 못하는 속삭이는 소리를 듣게 되는 사건이 일어난 뒤, 이 소설은 클라이맥스에 이르게 되는데 윌랜드는 가장 소중한 것을 바치라는 '신성한' 목소리를 들었다고 하며 부인과 아이들 그리고 하녀 루이자 콘웨이Louisa Conway까지 살해한다. 윌랜드가 광기에 사로잡혀 동생 클라라마저 죽이려 했을 때 카윈은 복화술로 윌랜드의 행동을 제지한다. 잠시 후 정신이 돌아온 윌랜드는 동생의 펜나이프로 스스로 목숨을 끊는다. 메티겐의 집이 화재로 소실된 뒤 클라라는 외삼촌과 함께 유럽으로 이주한다. 가족들의 죽음과 그로 인한 정신적인 파산을 겪은 3년 후 클라라의 회상으로 이 소설은 끝을 맺는다.

이 소설에서 중심인물이 누구인가에 대해서는 의견 차이가 있었다. 초기 비평가들(패티Patee, 클라크Clark, 솔다티Soldati 등)은 제목과 동명인물인 윌랜드를 중심인물로 지목하지만, 최근의 비평가들(킴볼Kimball, 그라보Grabo)은 이 소설의 화자인 클라라를 중심인물로 주목한다. 하지만 클라라는 서두에서 자기가 하는 이야기가 자기나 오빠의 이야기가 아닌 "최근 내 가족에게 일어난 일"(5)이라고 밝히고 있다. "우리의 행복을 산산조각 내고 우리의 삶이 꽃피던 곳을 비참한 사막으로 만든 폭풍"(5-6)에 대해 쓴다고 밝혔듯이, 그녀의 개인적인 절망은 가족이 겪는 비극의 거대함 속에 함몰되어 버린다. 이 소설 제목 『윌랜드』는 이 가족의 가장인 윌랜드뿐 아니라 윌랜드 가족 전체를 가리키고 있다. 즉 윌랜드와 클라라의 할아버지와 아버지, 윌랜드, 아내 캐더린, 클라라, 아이들, 미래의 처남 플리엘까지 지칭하는 것이다.

고전주의적 이상을 신봉하는 윌랜드 가족은 겉으로는 모범적인 가정으로 보인다. 부모가 돌아가신 뒤 클라라와 윌랜드는 친척 아주머니의 보호 아래 "어떠한 비합리적인 제재"에도 들어가지 않고, 말 그대로 어떠한 외부의 간섭으로부터 자유롭다. "대학과 기술학교의 부패와 독재로부터 구원받았고 그들은 자기 자신의 교육 감독관이 되었다"(21). 그들의 교육은 "종교적 기준을 따르지 않았고… 일상적인 인상과 자기 이해라는 안내를 따랐다"(22). 윌랜드와 클라라는 로크와 루소의 공식대로 계몽주의식 교육을 받은 것이다. "윌랜드가 가장 존경하는 대상"은 로마의 철학자 키케로이다. 윌랜드는 그의 작품을 읽고 연구하는 것만으로는 만족하지 않고 그의 스타일과 태도를 본받고자 한다. "그는 결코 키케로의 작품을 숙독하고 시연하는 것을 싫증 낸 적이 없었다. 그것을 이해하는 것으로는 충분하지 않았다. 그는 키케로의 작품들이 표현되는 제스처나 운율들까지도 알아내고자 열심이었다"(22-23).

이들 가족은 델라웨어 강변 메티겐에 고전적인 미덕과 자치에 따른 사회를 재창조하였다. 그들은 자기네들 사회의 주춧돌로서 이성을 중시하는 고전주의자들의 주장을 받아들이며 지성을 발전시킬 수 있는 한가로움을 중요하게 여긴다. 열렬한 알비파(Albigeois)[17]였던 윌랜드의 아버지가 홀로 기도드리기 위해 '절벽 위에 세운 사원'temple on the cliff에 키케로의 흉상과 하프시코드를 가져다 놓고 그곳을 자기네 삶의 방식에 알맞도록 바꾼다. 키케로의 흉상 앞에서 그들은 "노래하고 이야기를 나누며 때로는 잔치도 벌이며"(22) 로마의 고전을 토론하고 소일한다. 그들은 이성이야말로 한 인간을 완성하며 감각적 증거로부터 진리를 추론하는 매개자라고 믿고 있다. "클루엔티우스를 위한 연설"에서 키케로가 주장하듯 이성의 힘만이 제어할 수 없는 열정의 "어두운 심연"으로 빠지는 것을 방지하는 힘이 있다고 믿는다(Weldon 3). 물론 이성은 실패하고 윌랜드와 그의 가

17) 알비파: 프랑스 남부 알비Albi 지방을 중심으로 11~12세기에 퍼진 기독교의 한 종파. 그들은 우주의 역사가 광명과 암흑 사이의 투쟁이라고 믿고 하느님 이외에 영원한 악(물질)을 인정하였다. 이들은 물질과 관련된 모든 것을 배척하였고 구약의 하느님을 악의 신으로 단정하였는데, 13세기 무렵 십자군에 의하여 전멸되었다.

족은 어두운 감정, 즉 "비열한 경솔함"과 "범죄에 대한 절망"(225)으로 파멸한다.

이 가족이 파괴되는 양상과 원인이 독자들을 괴롭힌다. 왜냐하면 이들은 자기네들이 창조하려고 했던 질서 있는 세계가 전복되는 것을 방지할 수 있는 가장 적절한 사람들이었기 때문이다. 이 가족의 일상, 즉 가족 간의 헌신적인 사랑과 지적이며 도덕적인 성장을 추구하는 나날은 그들이 연구한 고대 로마의 이상에, 그리고 계몽주의가 주장하는 생활에 가장 가깝게 접근하고 있음을 보여준다. 겉으로 보기에 거의 흠잡을 데 없는 그들의 생활에 비극의 씨앗은 들어있지 않다고 말하고 싶을 정도이다.

하지만 다른 한편으로 이 가족은 기본적으로 이성을 공유하고 삶에 질서를 부여하고자 하는 과도한 욕구에 인해 실패한다고 말할 수 있다. 다시 말해 현실은 이성적이고 합리적이어야 한다는 기대가 이들의 비극에 더 큰 원인이 될 수 있다는 점이다. 모순과 혼돈이 그들 삶에 잠재되어있고 이런 것들이 인간의 행동을 결정하는 데 절대적 영향을 행사한다는 것을 부인하는 윌랜드 가족은 비이성적인 힘을 영원히 누를 수도 없고 결국에 가서 심연 속에서 터져 나오리라는 점을 간과한다. 그들은 자기들이 제거하려 했던 위력에 의해 전복된 것이다.

이와 같은 프로이드적인 해석과 더불어 이 작품은 이들 가족의 비극이 도덕적 결함 때문에 초래되었다는 탈 프로이드적인 원인을 제시하고 있다. 즉 윌랜드와 그 가족은 도덕과 사회적 비전이 왜곡되었기 때문에 파괴되었다는 것이다. 브라운은 『윌랜드』의 서문 격인 「광고」("Advertisement")에서 이 소설의 사건이 "프랑스 혁명이 끝날 무렵과 미국 독립혁명이 시작할 시기 사이에 일어났다"(3)고 밝히고 있다. 소설 서두에서 클라라의 가족들은 "전쟁의 소리가 들려오고 한쪽에서는 인디언이

격퇴되고, 또 다른 쪽에서는 캐나다가 정복당하는" 시대였지만 "아무런 외부의 간섭을 받지 않은 행복"을 즐기고 있다고 흐뭇해한다. 사실 클라라의 가족들이 안전한 곳에서 전쟁을 "그렇게 멀리"(25) 느끼고 있었다는 것은 이기적이다. 식민지의 위기나 전쟁에 참여하고 있는 사람들의 운명에 대해 그들 가족은 실질적으로 아무런 연대의식이나 책임감을 느끼지 못한다. 클라라가 "혁명이나 전쟁은 거기에 참여하고 있는 사람들에게는 재앙이겠지만, 우리들에게는 호기심을 일으키고 애국심을 고취할 수 있는 이유를 제공해 어느 정도 우리의 행복에 기여했었다"(25)는 고백은 윌랜드 가족이 즐기는 고립이 이들을 위험을 불러일으킬 근시적인 좁은 세계로 끌고 갈 수 있음을 가리킨다.

바깥세계와 차단된 윌랜드 가족의 강한 유대감은 이들에게 치명적인 피해를 끼치는 근원이 된다. 이 가족은 필라델피아의 외딴곳에 둥지를 틀고, 시내에 살고 있는 플리엘을 제외하고는 바깥세계와 교류하지도 않고 또 원하지도 않는다. 교류가 거의 없는 자기들만의 지적인 교류와 풍요를 즐기는 그들은 식민지 사회의 시끄러운 문제를 외면한 채 이성과 자비와 정의가 통용된다고 믿는 그들만의 비현실적인 세계에서 지내는 것이다. 플리엘이 윌랜드에게 그의 아버지의 조상들이 사는 독일의 삭소니Saxony 영지에 대한 권리를 찾으라고 설득하지만 그는 자신의 영역을 메티겐 농장 밖으로 확장할 생각이 없다. 맨리William Manley는 지나치게 내부로만 향한 시선이 이 소설의 기본을 형성한다고 하면서 "이 소설의 중심 드라마는 일상생활의 정상적이고 보통의 관심사로부터 점점 멀어지면서 클라라의 의식 내에만 존재한다"(320)고 지적한다.

그러나 이 가족의 고립은 이 소설을 지배하는 더 큰 문제를 나타낸다. 윌랜드와 캐더린, 클라라의 고립은 개인의 완벽함이라는 철학을 추구하는 모든 가족들이 취하는 고립을 상징하는 메타포이다. 식민지에서 벌어지고 있는 여러 전쟁과 문제에 대해 이들이 취하는 태도는 무엇보다도 가족의 이기적인 고립으로 나타나며, 근친상간적 욕망의 강한 암시는 같은 문제를 다르게 표현한 것이다. 18세기 후반 미국인들이 프랑스로부터 나쁜 영향을 받을까 봐 두려워하는 것은 나라 밖의 세계에 전염될지도 모른다는 공포를 반영하는 것이다(Rothman 85). 이런 의미에서 사회 질서의 확립을 희망하면서도 한편으로 무질서를 조장하고 무질서의 혼돈으로 끌려 들어가는 전형이 되는 가족을 그린 이 작품은, 새뮤얼스의 지적처럼 소설이 출판되던 해 통과된 <외국인 치안 방해에 관한 법>에 대한 반응과 대응책으로 읽을 수 있다(52).

미국이 외부 세력으로부터 나쁜 영향을 받는 것에 대한 두려움이 정점을 이룬 시기에 발표된 이 소설은 윌랜드 가족에게 성욕, 무질서, 폭력을 불러일으킨 카윈을 비난하지만, 그는 이미 가족 구성원들에게 존재하고 있던 성적 긴장감을 고조시킨 존재에 지나지 않는 '외부 위협'을 상징한다. 이방인인 카윈은 윌랜드 가족 내부에 잠재된 불안을 표면으로 떠오르도록 한 매개일 뿐이다. 외국인들을 불러들이는 미국의 제반 여건들처럼 윌랜드 가족이 이룩한 전원 공동체의 바로 그 매력이 카윈을 끌어들인다. 클라라에게 "나의 중요한 산책 장소는 메티겐의 잔디와 정원이었다. 즐거운 그곳에서 자연의 호사스러움은 현명한 예술에 의해 순화되었다" (184)고 고백했듯이 그곳의 우아함과 아름다움이 외지인으로 방랑에 지쳐 있던 카윈의 발길을 돌리게 했고 오랫동안 머물게 한 것이다.

이 가족은 "개인은 곧 세계"라는 에머슨의 주장이 보여주는 바와 같이 개인의 힘에 대한 미국의 신념을 원칙으로 삼는데, 이 원칙은 가족의 질서라는 기초에 뿌리를 둔다. 그러나 이로 인해 그들 가족은 고립되고 내부로만 시선이 향하게 된다. 미국의 현실로부터 거리를 두고자 한 것은 이 가족들의 개인적인 바람만은 아니다. 그것은 국내외에서 발생하는 여러 사건과 체험을 대하는 미국 사회의 집단적인 태도이기도 하다. 1798년 발행된 『월간 잡지 아메리칸 리뷰』(*Monthly Magazine and American Review*)에서 브라운은 "우리가 갖는 현재 위험의 중요한 원인이 국민의 지나친 이기주의 때문"이라고 지적하며 새로운 사회의 기초로써 공공의 선에 대한 순수한 사랑을 요구하는 퀸시Mr. Quincey의 7월 4일 연설에 동의한다. 그러면서 그는 "모든 선량한 시민들은 이러한 악과 그 악의 파괴적인 결과를 경시하는 세태를 개탄하는 퀸시와 힘을 합쳐야 한다"고 강하게 토로하고 있다(Weldon 5). 퀸시의 연설에 대한 이 리뷰는 브라운이 『윌랜드』를 쓰는 동안 발표되었는데, 이 글에서 그가 주장한 '지나친 이기주의의 끔찍한 결과'가 윌랜드 가족의 이야기로 그려진 것으로 짐작된다.

겉으로는 아주 평범해 보이는 이들 가족의 평온함과 한가로움을 깨뜨리는 사람은 이방인 카윈이다. 그는 이 가족의 농장 메티겐에 등장하여 클라라와 플리엘에게는 성적 긴장감을 일으키고 윌랜드에게는 가족을 살인하게 만드는 광기 어린 종교적 열정을 불러일으킨다. "유려하면서도 열정적인" 카윈의 목소리에 즉각적으로 반응을 보이는 클라라는 카윈에게 강렬하게 끌리면서도 동시에 거부감을 느낀다. 카윈을 비난하지만 그녀가 그에게 반한 것은 분명하다. 그의 목소리에 클라라는 "저절로 눈물"이 솟고 자기가 그린 그의 초상화에서 시선을 뗄 수 없다. 거칠고 창백한 안색, 이글거리는 눈을 가진 그의 모습은 고전적인 아름다움과 거리가 멀지만, 바로 그런 특징과 "원뿔을 거꾸로 세운" 그의 얼굴이, 자기네들이 세운 삶 표준의 전복을 나타내듯 클라라의 흥미를 일으킨다. "카윈을 처음 만난 날 하루 종일 집 밖의 폭풍과 카윈의 초상화를 번갈아 보는 일로 보낼 정도로" 그에게 끌리는 클라라는 자신이 "이 초상화에 몰두하는 이유를 설명할 수가 없다"(50). 클라라는 폭풍이 지나간 뒤에도 그 그림을 계속 쳐다보면서 자기가 빠져드는 "괴이하고 이상한 생각을 설명하지 못한다"(51). 카윈의 초상화를 바라보며 그녀는 죽음을, 특히 오빠와 아이들의 죽음을 생각한다.

> 왜 내 마음이 불길하고 무서운 생각에 빠져드는가? 왜 내 가슴은 한숨을 쉬고 눈에는 눈물이 넘치는가? 내 영혼은 오빠와 아이들의 모습을 다정하게 생각하고 있지만 그 모습들이 우울한 생각을 더해 주었다. (51)

바깥에서 불어대는 폭풍이 그녀에게 내재화된다. 여전히 그녀는 카윈이 "무서워해야 하는 사람인지 사랑할 대상인지, 선한 사람인지 악한 사람인지"(66) 판단하지 못하고 확실한 근거 없이 그를 비난한다.

클라라는 바깥 세계의 위험으로부터 가정을 격리하려고 노력하나 가정은 이미 파괴가 발생하는 장소가 되었으며, "여태껏 침범할 수 없는 보호소였던 곳이 생명에 대한 위험으로 포위되어 있었다"(56)는 사실을 깨닫는다. 그녀는 폭력이 외부에서 자기 가족에게 침투해 들어오는 것으로 이야기하지만, 그 폭력은 외부 세력이 아니라 이미 안과 밖 모든 곳에 존재하고 있는 듯이 보이며 그것을 외부로 돌리려는 것은 그 폭력이 모든 곳에 편재하고 있었다는 사실을 새삼 강조할 뿐이다. 『윌랜드』는 파괴를 초래하는 이가 바깥에서 들어온 침입자라고 말하고 있으나, 사실은 내부로부터 자체적으로 파괴되는 가족 이야기이다. 이 소설의 소재가 된 두 건의 가족 살인 사건, 즉 1781년 뉴욕 주의 토마녹Tomhannock에서 제임스 예이츠James Yates라는 농부가 신의 목소리에 아내와 네 아이들을 살해했던 사건과 1782년 윌리엄 비들William Beadle이 부인과 네 자식들을 "신의 명령으로" 살인을 집행했다는 유서를 남기고 자살한 사건(Samuels 57-58)은 그들의 행위가 외부자의 침입으로 야기된 게 아니라 그런 폭력적 힘의 주체가 이미 내부에 들어 있었다는 것을 보여준다.

가족에게 일어난 비극적 책임을 외부의 이방인 탓으로 돌리려고 하는 클라라의 행동은 가정과 사회가 유지되는 틀을 고수하려는 노력의 일환이다. 클라라와 윌랜드는 아버지의 엄격하고 규범화된 은신처인 사원을 자유로운 토론의 장소로 변화시키지만, 그곳은 외부의 침입에 노출되는 곳이 되어버렸다. 이들 가족은 친목의 장소였던 사원을 복화술을 이용해 공포의 장소로 변화시키는 카윈과 같은 외부인의 침입을 미리 예상했어야 했다. 클라라는 사회의 모든 시끄러운 문제와 소란으로부터 벗어난 곳에서 갖는 자기네들만의 모임을 이야기하면서, 카윈을 단순히 '두 목소리를 가진 사기꾼'이나 평화스러운 미국의 전원에 들어온 외부인이 아니라 자기네들의 평화를 파괴하는 자로 규정한다. 그녀가 그의 독특한 외모와 기이한 전력과 행동을 강조하는 것은 가족이 보호받는 장소라는 가정의 기초가 원래 견고하지 못하다는 것을 들추어낸다. 클라라가 소설의 맨 끝에 "카윈이 장본인이었던 사건은 희생자의 잘못 때문에 생긴 것이다. 윌랜드가 도덕적 의무와 신앙의 속성에 대해 좀 더 올바른 생각을 지녔거나, 내가 보통 사람의 침착함과 선견지명을 지녔더라면 그 사기꾼은 좌절되었거나 거부되었을 것이다"(227)고 했듯이 그들 내부에 결함이 있다. 복화술로 전달되는 성적 암시가 강한 대화가 말해주듯이 카윈은 클라라의 육체를 포함해 모든 감추어진 곳을 향해 차근차근 침입해 들어오면서 이 가족이 미처 인지하지 못한 숨겨진 것들을 차례로 드러낸다.

이 소설에서 카윈에 의해 표면으로 올라온 광신적 신앙이 야기하는 직접적인 결과는 폭력만이 아니다. 가족의 관점에서 더 중요한 의미를 지니는 것은 불순한 성적 욕망이다. 근친상간적인 감정이 구체적으로 윌랜드의 행동과 클라라의 모호한 반응으로 불확실하게 나타난다. 자신의 불순한 욕망을 외부 탓으로 돌리면서 몰아내기 위해, 클라라는 오빠가 광적인 행동을 하게 된 원인을 카윈 탓으로 돌리며 또 성적인 암시가 짙게 내포된 위험한 장면에서 그녀가 기다리고 있던 오빠가 아닌 카윈을 발견하는 것이다.

윌랜드와 카윈은 계속 클라라와 연결된다. 클라라는 윌랜드와 카윈을 전혀 반대되는 인물로 말하고 있으나, 그 둘의 성격은 분명하게 규명되지 않으며 두 사람의 특징은 서로 교환 가능하다고 할 수 있다. 그녀는 카윈의 범죄를 오빠의 자질과 정반대로 설명하려 하지만 오빠 윌랜드의 미덕은 카윈의 죄악과 잘 구별되지 않는다.

클라라는 윌랜드, 카윈, 플리엘, 이 세 남자 모두에게 양존적인 태도를 취한다. 강둑의 휴식처에서 깜박 졸았던 순간 꿈속에서 윌랜드가 심연을 건너오라는 손짓을 하지만 "멈추시오! 멈추시오!"(58)라는 카윈의 소리에 꿈에서 깬다. 잠에서 깨어 자정이 넘은 시간에 집을 찾아가는 깜깜한 절벽에서 그녀를 찾아온 플리엘이 나타나자 카윈은 사라진다. 그녀는 이 사건을 이렇게 이야기하고 있다.

> 나는 서로 반대되는 추측에 고민하였고 내가 만든 환상에 고통 받았다. 항상 그랬던 것은 아니다. 내 마음이 이런 어리석음에 빠지게 된 날을 확인할 수 있다. 아마 그것은 치명적인 열정이, 결코 칭찬할 수 없는 열정이 내 마음에 침범한 것과 같은 시기였을 것이다. (77)

위에서 얘기한 "치명적인 열정"은 사랑으로 짐작 가능하다. 이들 세 남자에 대한 클라라의 감정은 사랑, 욕망, 두려움, 원한 같은 감정이 복잡하게 얽혀있다. 이 원한의 감정은 카윈을 만나려고 한밤에 외출 차비를 차리며 칼을 준비하는 것에서 분명하게 드러난다. 그녀는 자기 행동이 가져올 수 있는 도덕적, 육체적 위험을 이렇게 짚어본다.

> 날이 선 칼을 지닌 이는 누구나 무장을 한 것이라 할 수 있다. 하지만 살인을 저지를 수 있는 무기를 사용하는 것에 대해 내가 떨지 않고 생각할 수 있고, 다른 사람을 죽이면 내가 안전해질 수 있어서 자신이 안전하다고 믿을 때, 내 마음 상태는 어떠해야 하는가? 나는 마치 멈추거나 돌이킬 힘도 없이 무서운 전투로 달려 들어가는 것처럼 느껴졌다. (134)

오빠가 살인을 저지르게 만든 원인을 제공한 사람에게 지나치게 관심을 가지는 것이나, 그리고 누가 벌을 받아야 하는지, 그 죄는 어떤 판결을 받아야 하는가에 대해 클라라가 과도한 관심을 갖는 것은 자신의 죄의식을 회피해보려는 노력이라 할 수 있다.

클라라의 공포는 오빠의 치욕스러운 범행에서 나오는 게 아니라 자기도 오빠와 같은 그런 범죄를 행하도록 부름을 받을 수도 있다는 공포에서 나온 것이다.

> 오빠의 상태에서 변화가 일어나게 된 순간이 궁금했다. 나는 오빠보다 나 자신에 대해 갖는 열 배나 강한 의문으로 정신을 잃을 지경이었다. 나도 오빠와 비슷하게 이성적이고 인간적인 사람에서, 말로 표현할 수 없는 끔찍한 속성을 지닌 인물로 변화하지 않을까?

> 나는 그와 같은 심연의 가장자리에까지 오게 되지 않았는가. 새로운 날이 밝기도 전에 내 손이 피로 물들고 여생이 감옥과 사슬에 매여 있지나 않을까. (166)

오빠의 행동에 대한 두려움은 클라라로 하여금 자신을 통제하는 자신감을 잃게 하고 자기에게도 오빠처럼 폭력을 저지를 수 있는 성향이 있다는 것을 확인하고 절망하게 만든다. 그 결과 그녀는 "죽음은 자연이나 우리들이 반드시 받아야 할 치료이다. 나는 죽음을 암울한 만족감과 함께 고대한다"(160)고 토로할 정도로 자살에 대한 강한 유혹에 시달린다. 극도의 우울함은 외삼촌의 보살핌으로 어느 정도 회복되지만, 클라라는 결국 자신이 오빠를 살해할 수도 있다는 생각에까지 이른다.

> 나의 죄가 인류의 죄를 능가한다는 것을 인정한다. 내가 무슨 말을 할 수 있나? 나는 내가 죽음의 위협을 받고 있다고 생각해서, 그 위협에서 벗어나기 위해 나에게 위협을 가하는 사람을 죽일 준비가 되어있었다. 견딜 수 없는 기억이여! 내 앞에서 잠시 동안 모습을 감춰다오. 내가 오빠를 찌른다는 생각을 했었다는 것을 감춰다오! (206-07)

자신의 죄가 다른 누구의 것보다 크다는 것을 인정한 클라라에 대해 해스포드Walter Hesford는 "클라라의 억압된 근친상간적인 욕망과 그로 인한 죄의식이 윌랜드가 저지른 죄에 대한 동기를 제공했다.… 그녀는 오빠의 피가 묻은 칼로 깎은 날카로운 펜으로 이야기를 썼다"고 주장한다(239).

상황의 정당성에도 불구하고 클라라가 범죄를 저지를 수 있는 가능성은, 악이란 윌랜드의 범죄처럼 우발적인 광기가 아니라 모든 사람이 보편적으로 가지고 있는 성향이며 그것은 언제든지 표면으로 나타날 수 있음을 제시하는 것이기도 하다. 작가는 클라라의 손에서 칼을 떨어뜨리고 윌랜드가 그것을 집어 들어 스스로 목숨을 끊게 해 끔찍한 비극이 재발하는 것을 방지한다. 그렇지만 "오빠가 죽을 때 내 손은 그의 피로 젖었다"(215)고 고백했듯이 클라라가 악을 저지를 수 있는 잠재력을 보여줌으로써, 브라운은 결말에 모든 혼돈을 이성적으로 해명하고자 하는 전통적인 고딕소설 작가들보다 인간에게 더욱 저주스러운 비난을 가하고 있다. 이 작품은 "어떤 인간도 타락으로부터 안전할 수 없다"(224)는 메시지를 전하고 있다.

4

인간이란 천성적으로 타락했고 통제할 수 없는 악의 희생물임을 보여줌으로써 브라운은 계몽주의 시대의 낙관적인 태도와 정신을 부인한다. 이 소설은 멜빌이 반세기 뒤에 호손의 글에 나타난 "어둠의 힘"power of blackness을 논하기 전에 이미 인간 마음에 내재한 어둠의 힘을 이야기하고 있다. 그렇다면 우리는 거의 억지로 "도덕의 어둠"(34)을 은폐하고 이성적이고 도덕적으로 이해 가능한 우주를 회복시키려는 이 소설의 결말을 어떻게 해석해야 하는가? 이 소설의 마무리에서 한 가지 확실한 것은 미국이 버림받았다는 사실이다. 클라라와 플리엘이 새 인생을 시작하는 곳은 유럽이다. 이들의 이주는 무엇을 의미하는가? 그렇다면 이 소설의 부제가 어떻게 '미국의 이야기'An American Tale인가?

『윌랜드』는 미국 독립 전야를 배경으로 한 집안의 역사를 말하는 점에서 처음부터 역사에 근거한다. 데이비스David Brian Davis는 윌랜드 아버지의 삶과 죽음 그리고 이들 가족 역사를 되새기며 이들의 이야기가 바로 식민지 미국의 역사를 압축하고 있다고 한다.

> 이 이야기는 거의 식민지 역사의 우화이다. 이것은 유럽의 혼란스러운 경제적 변화와 이런 변화와 무관하지 않은 종교적 열정, 예정론과 엄격한 자기 분석에 대한 언급, 미개인들에게 진리의 말을 전하겠다는 열정과 그 시도의 실패, 예기치 못한 경제적 성공, 언덕 위(혹은 도시) 사원에 있는 유명한 인물들에 대한 것을 담고 있다. 이렇게 평행을 이루는 내용은 본래의 종교적인 광신의 분열과 자기 소진, 그리고 합리적인 후손에 의한 사원의 전용과 함께 계속된다. 마지막으로 유럽 대륙의 계몽주의는 "지성적인 자유의 챔피언, 이성의 안내 외에는 다른 모든 가이드를 거부한" 플리엘로 구현된다.… 그러나 브라운이 자기 확장에 한도가 거의 없는 사회 문제에 관심을 갖는 것은 주목할 만한 일이다. (33)

토마스 제퍼슨에게 『윌랜드』와 함께 동봉한 편지에서 소설의 장점을 "사회와 지성의 이론… 정보의 운영과 자연의 움직임에 대한 역사의 장점과 비교할 수 있다"(Davidson, "The Matter and Manner" 163)고 했던 것처럼 브라운은 허구와 역사가 교차하는 문학에 매혹되었고 역사를 우회적으로 표현하는 전략에 익숙하다.

프랑스 혁명 끝 무렵에 발표된 이 작품은, 프랑스 혁명이 야기한 과격한 행위가 미국에 끼칠 수 있는 영향에 대한 우려를 반영한다. 그러나 미국은 혁명이 완성되었고 프랑스 같은 '공포 정치'The Reign of Terror에 사로잡힌 사회가 되리라는 운명을 벗어났었다. 그렇다면 브라운이 미국 사회에 대하여 불안해하는 이유가 무엇인가?

브라운은 소설 서두에서 꺼냈다가 중단해버린 루이자 콘웨이의 어머니 스튜어트 부인Mrs. Stuart과 스튜어트 대령Captain Stuart 그리고 맥스웰Maxwell의 이야기를 말미에 다시 끄집어내어, 클라라가 서술한 지금까지의 긴 이야기와 『윌랜드』의 역사성에 고리를 제공한다. 브라운은 맥스웰의 유혹에 거의 넘어갈 뻔했던 스튜어트 부인의 감정 변화에 대하여 이렇게 말하고 있다.

> 그녀에게 격심한 감정 변화는 단지 절망만을 만들어냈었다. 그녀가 고수하는 정직함의 원칙은 그녀가 실질적인 죄를 저지르게 만들지는 않았으나 예전의 애정을 돌이킬 수도 없었고 양심의 가책이나 현실성 없는 소망의 희생양이 되는 것에서 그녀를 구해낼 수가 없었다. (224)

다시 말하자면 스튜어트 부인은 마음먹은 것을 행동으로 옮기기 전에 중단했음에도 자신이 "타락했다"는 생각을 지우지 못한다. 이와 같은 경우가 클라라에게도 해당한다. 비록 오빠에게 칼을 휘두르지 않았어도 자기가 그럴 가능성이 있었다는 게 그녀에게는 충격이다.

클라라처럼 식민지 미국은 성숙하면서 변화를 겪는다. 자신의 새로운 자아가 옛 자아(영국)로부터 분리되어 나가면서 위협받고 있음을 알게 된다. 미국은 칼을 들고 어쩔 수 없이 방어적으로 자기의 예전 자아에게, 전에 친척이었으나 적으로 변한 영국에게 공격을 가했었다. 다행히도 미국 혁명은 프랑스 덕분에 성공했고 프랑스와 달리 미국은 공화정을 유지하였다. 그러나 미국이 이념적 형제라 할 수 있는 프랑스처럼 많은 사람을 죽음으로 몰아넣지 않았다 하더라도, 잠재적 가능성에 눈을 감아서는 안 된다는 것을 브라운은 피력한다. 치욕스러운 행동을 하기 직전에 멈춘 스튜어트 부인이 최악의 "격심한 감정 변화"를 예상했다는 점을 깨달은 사실은, 미국의 잠재적 가능성을 암시하는 것으로 해석할 수 있다.

이 작품의 클라이맥스에서 보여주는 격렬한 변모는 복잡한 미국의 변화를 반영한다. 오빠 윌랜드를 향한 클라라의 위협적인 자세는 두 개의 역사적 사건을 상기시킨다. 첫째, 클라라처럼 미국이 자기 보호자였으며 가족인 사람에게 무기를 들 수밖에 없다는 것이고 둘째, 미국의 독립혁명 이후 그 혁명의 유령이, 미친 오빠처럼 무차별하게 살인을 저지르는 혁명 후의 프랑스로 변했다는 것이다. 브라운이 "광고"에서 밝혔듯이 『윌랜드』가 미국 독립혁명과 프랑스 혁명이라는 두 혁명의 그림자로 쓰였다면 그 두 혁명이 불러온 정치적 변화가, '변화'The Transformation라는 부제를 달고 있는 이 소설에서 발생한 변화에 함축되어 있다는 점을 유추해볼 수 있다. 그러나 이것보다 더 절박한 이유가 있다.

1790년대 중반의 미국은 내란 상태에 이를 정도로 분열되어 있었고 브라운이 『윌랜드』를 썼던 1798년에는 더욱 심했었다. 그 당시 영국과 프랑스는 미국 정치에서 실질적인 정신적 지주였으며 연방주의자는 영국에, 공화파는 프랑스에 각자 이념적으로 기울어져 있었다. 이런 정치적 양극화 현상을 환기함으로써 브라운은 당시 분열된 미국을 상기시킨다. 클라라가 오빠처럼 폭력적으로 되는 것을 두려워하는 만큼 미국 역시 자기 이념적 형제국인 프랑스처럼 "심연의 가장자리로 끌려들어가는 것"(58)을 두려워한다. 브라운이 윌랜드의 광기에 대해 '혁명', '전복', '무정부 상태'와 같은 표현을 쓴 것에서도 미루어 짐작할 수 있듯, 클라라 가족의 드라마는 혁명 이후 갈등을 겪고 있으면서 동시에 그 혁명적 유산에 의해 위협당하는 극심한 변화에 휩싸인 국가를 보여주는 더 큰 드라마를 투사한다. 클라라는 자기의 옛 자아를 죽이지 않으면 자신이 죽임을 당하는 처지이다. 브라운이 그리는 미국은 "절벽 위의 사원"과 같다. 미국의 첫 난관은 유럽의 문제와 국가 내부의 위기로 쓰러지지 않기 위해 국제사회에서나 국내 문제에서나 평형을 유지하는 일이다.

5

가족을 모두 잃고 화재로 집까지 없어진 클라라가 삼촌과 함께 미국을 떠났다는 것은, 미국이라는 국가가 갖는 플랜에 대해 브라운이 갖는 심각한 회의를 암시한다. 동화 같은 클라라의 결혼, 즉 알지 못한 이가 화염에서 구출해줘 목숨을 건진 그녀가 유럽에서 상처한 플리엘과 결혼하게 되는 결말은 그녀가 이전에 겪은 사건들에 비추어보면 아이로니컬하게 보인다. 유럽으로 간 클라라는 격렬한 감정의 소용돌이에서 벗어나 안정되었지만 도덕적인 체하는 목소리로 자신을 합리화하는 지루하고 따분한 사람으로 변화되었다. 유럽에서 플리엘이 약혼자 테레사Teresa와 결혼했다는 소식에도 그녀는 "그를 여전히 사랑하였으나 나의 열정은 나 자신으로부터 가려 있었다. 나는 나의 애정을 좀 더 다정한 우정이라고 생각하고 양심의 가책 없이 마음에 품고 있었다"(221)며 태연한 체한다.

이 같은 클라라의 태도는 겉모습 뒤에 가려진 진실을 규명하는 게 얼마나 어렵고 큰 희생을 가져오는가를 피력했던 이야기에 역설적인 마무리를 짓는다. 복화술에 비유될 수 있는 클라라의 이중적인 태도는 윌랜드의 환각에 대해 그녀 삼촌이 했던 말을 상기시킨다. 삼촌은 클라라가 오빠 윌랜드의 광신적인 환상을 깨트리는 것을 반대하면서 "적어도 그런 자기기만이 그의 목숨을 유지하는 데 필요할지도 모른다"(73)고 설득했었다. 아내와 네 자녀를 살해한 자기 행동을 "신의 명령으로 집행했다"(73)는 윌랜드의 환각은 설사 그가 미쳤다고 할지라도 그를 살아있게 한다. 그렇다면 미국은? 미국은 자기 자신과 정직하게 맞닥뜨릴 준비가 되어있는가? 아니면 불쾌한 진실을 역사의 상투어로 변화시키는 방법을 모색할까?

브라운의 "미국 이야기"는 사기꾼 카윈이나 광신자로 변한 윌랜드의 타락뿐 아니라 클라라의 변화를 병행하고 있다. 그것은 오빠이면서 또 하나의 자신인 사람과 부딪침으로 마무리되는 그녀의 변화 과정을 기록하며 나아가 혁명적인 자아와 맞닥뜨리는 미국의 문제로 확장된다. 윌랜드와 클라라의 운명처럼 자신에 대한 치명적인 무지와 자기 정체를 간파하는 것, 둘 다 모두 무서운 결과로 이어질 수 있다는 것이다. 살아남은 인물들을 유럽으로 돌려보냄으로써, 브라운은 신세계의 타락을 바로잡고 신생국 미국이 어린아이 같은 축복 상태로 회복된다는 가능성을 부인한다. 정상적인 정신 상태와 균형을 되찾는 데에는 신세계가 아닌 구세계의 책략을 통해 가능하다는 말이다.

이 소설이 보여주는 유럽과의 관계를 검토해보면 결말의 복합성을 알게 된다. 유럽을 향한 여행에서 클라라는 미국을 떠나 이 소설의 출발 지점으로, 즉 그녀의 아버지가 인디언들을 개종시키겠다는 확신에 차 미국으로 떠나갔던 그곳으로 돌아간다. 그녀가 미국을 떠난 것은 미래에 대한 믿음을 내포하기도 하지만 상징적으로 그녀의 떠남은 과거로의 회귀를 의미한다. 그녀가 원하는 미래의 안정과 평화로움은 신세계가 아닌 구세계에 있으며, 가족의 역사를 생각한다면 그녀가 추구하는 것은 실패의 가능성을 짙게 함축한다.

플리엘과 클라라의 결혼은 이 소설을 행복하게 마무리 짓는 듯하나, 윌랜드의 여동생 클라라와 윌랜드의 부인 캐더린의 오빠 플리엘의 결합이라는, 별로 새로울 게 없는 '새로운' 가족의 시작을 말하는 것이다. 결혼은 인물들에게 새로운 관계를 설정해 그들이 만들어갈 미래를 내다보게 함으로써 결혼으로 끝을 맺는 대부분의 소설에 대해 그러하듯, 우리는 이 소설의 결말에 대해 착잡하다. 긴장이 해소되어 기쁘기는 하지만, 이 두 사람의 결합이 가져오는 미래에 대한 우려를 지울 수가 없다. 클라라가 죽음이 아닌 삶을 선택했고 결혼은 그 결정을 재확인한다는 점에서 축하할 만한 사건이다. 그러나 그녀의 결혼 상대와 정신 상태를 검토했을 때 그 기쁨은 반감된다.

이 소설에서 이성을 가장 존중하는 인물인 플리엘과의 결혼은 그녀가 유럽으로 온 의미를 재확인할 뿐이다. 카윈과의 관계를 오해하고 그녀에게 실망해 헤어지기 전 "교육이 당신에게 가르치지 못했던 지혜를 역경이 가르치기 바란다"(127)고 했던 플리엘의 충고는 그 자신이야말로 체험이 아닌 교육을 통해 계몽되었던 사실에 대한 역설적인 코멘트이다. 플리엘이 자기의 낡은 신념을 버렸을 것이라고 믿기 어려우나, 클라라는 그와 결혼해 이성과 평화로움이라는 버팀목에 다시 의존하려는 듯이 보인다. 이는 클라라와 플리엘이 만들어갈 사회질서는 예전과 유사하리라고 예측하게 한다. 개인의 완벽함이라는 철학에 기초한 사회질서는 지나친 자기함몰이 되어 사람들로 하여금 사회와 리얼리티로부터 격리되게 한다.

우리는 클라라의 미래와 새로운 가족에 대해 확신이 서질 않는다. "가정의 공간과 시간은 신화적 공간과 비슷하다. 그것은 중심을 축으로 돌게 되어 있으며 원을 반복해서 돈다"(Lang 6)는 주장을 이들의 결혼에 적용해보면, 비극적 사이클을 반복하는 윌랜드 가족의 패턴을 약속하고 있는 듯하다. 미래에 대한 클라라의 희망에도 불구하고 그녀가 부모에게서 물려받은 유전과 죽은 가족의 유령이 그녀 내부에 내재화되고 플리엘과 같이 만들어 나갈 가족과 함께 자리 잡을 것은 분명해 보인다.

클라라와 플리엘이 되풀이되는 패턴을 중단할 수 있는 구원의 인식을 얻지 못하고 자신들의 태도를 변화하지 못한다면, 이들이 꾸려갈 미래의 가족은 과거의 가족과 비슷할 것이고 이들이 지향하는 이성적인 사회질서는 확립되지 않을 것이다. 결국 『윌랜드』의 결론은 가족이 계속 이어지리라는 것과 그들의 실패가 반복되리라는 예측만을 약속할 뿐이다. 이는 윌랜드 가족과 그 가족이 속해있는 사회로써는 축복이면서 동시에 참혹한 가능성이다. 미국의 가족에 대한 이야기는 유럽으로 이주한 두 젊은 이들의 결혼으로 마무리를 지으면서 브라운이 소설 서두의 "클루엔티우스를 위한 연설" 부분에서 밝힌 처음의 인상을 재확인한다. 즉 윌랜드 가족이 지닌 가치는 실패하고 이들의 실패에서 미국이라는 나라의 실험이 성공하기 어려우리라는 것을 예견하게 될 뿐이다.

『오몬드』: 성의 경제학

1

미국 역사에 획을 긋는 사건들의 연속이었던 시대를 살았던 찰스 브록덴 브라운의 생애는 사회적으로나 정치적으로 격심한 변화가 진행되는 시대에 걸쳐있었다. 필라델피아의 상인 가정에 태어난 브라운은 변호사가 되기 위한 수업을 받았으나 변호사의 길을 접고 전업 작가가 되기로 결심하였다. 그러나 자본가 계층이 이제 막 형성되던 당시 신생국 미국에는 전업 작가라는 직업이 존재하지 않았으며, 또한 문화적으로 척박한 나라에서 작가는 경제적인 생존이 불가능한 직업이었다. 한가롭게 지적인 문제에 몰두할 수 있는 부유한 지주계층도 아니었고 자신이 속한 상인계층에도 귀속감을 느끼지 못했던 브라운에게 경제 문제와 사회 계층은 항상 문제가 되었다.

브라운이 작가로서 활동을 준비하던 1790년대는 팽창하는 자본주의와 거기에서 비롯되는 변화하는 경제적인 상황, 그리고 새롭게 논의되는 여성의 권리 등에 관해 뜨거운 논쟁이 있던 시기였다. 법률 공부를 접고 방향을 전환해 뉴욕의 <프렌들리 클럽>에서 스미스Elihu Hubbard Smith, 던랩William Dunlap과 같은 친구들과 독서와 토론에 몰입하던 브라운은 자연히 당시 자기 사회가 관심을 갖는 문제들을 그의 소설에 반영하였다. 그 결과 그의 작품은 경제와 여성 권리, 사회적 위치에 관한 그의 견해를 논하는 장이 되었다.

브라운이 1798년부터 1800년에 걸쳐 쓴 소위 '4중주'라고 불리는 네 편의 소설 『윌랜드』, 『오몬드』, 『아서 멀빈』, 『에드거 헌틀리』는 브라운 자신만큼이나 사회적, 경제적 입지가 모호한 인물을 그리고 있다. 그는 아서 멀빈처럼 돈을 벌기 위해 온갖 노력을 경주하는 사람들에 대해서도 회의적이어서 그런 사람들이 용이하게 유한계층으로 상승하는 것에 호감을 가지지 않았고, 그렇다고 해서 윌랜드 가족처럼 한쪽에서는 독립전쟁이 진행되고 다른 한쪽에서는 인디언과 전쟁이 벌어지는 혼돈의 세상과 담을 쌓고 지내는 한가한 지주계층 문제 역시 간과하지 않았다. 공격적인 신흥경제인들의 부상으로 전통적인 부의 계층이 침몰하는 미국 경제는 사회정치적인 문제와 함께 다시 의미를 규명해야 할 정도로 급진적인 변화를 겪었다.

그는 경제적 상황의 변화와 함께 남녀의 변화, 그리고 남녀 간의 활동 영역 변화에 주목하였다. 영국의 급진적인 정치사상가 윌리엄 고드윈의 영향을 받은 『알퀸』에서 브라운은 여성 교육과 권리문제를 다루고 있다. 알퀸과 카터 부인의 대화로 이루어지는 이 글은, 처음에는 자유와 헌법에 관한 대화로 시작하였으나 재산과 미덕의 문제로 진행되어감에 따라 여성 권리에 대한 토론으로 이어지게 된다. 그는 이 "대화"에서 여성 문제를 다루면서 여성의 투표권, 자유, 그리고 재산 문제를 따로 떼어놓고 생각하지 않았다는 점에서 급진적인 여권론자라고 평가를 받는다.[18] 하지만 또 다른 평자는 이 작품을 여권을 옹호하는 글로 읽기는 곤란하다며 그를 여권론자로 간주하기는 어렵다고 밝히고 있다(Arner 284). 이처럼 여성에 관한 브라운의 견해는, 그가 정치적 급진주의자에서부터 보수주의자까지 다양하게 평가되는 정치적 입장에 대한 것만큼이나 파악하기가 쉽지 않다. 그러나 대부분의 전기 작가나 비평가들은 브라운이 『알퀸』과 그의 주요 소설들을 쓰던 1798년을 전후하여 개인적인 면에서나 정치적인 입장 등 여러 가지 면에서 급진적인 변화를 겪었다는 점에는 동의하고 있다(Watts 131, Davidson 82, Chapman 20). 브라운이 여권론자인가 반여권론자인가는 쉽게 가늠하기 어려우나, 그가 "여성의 전통적인 역할과 여성에 대한 관점에 대해 편치 않았던 자신의 심경을 자기 작품에 논하고 있다"(Person 33)는 것은 분명하다고 하겠다.

브라운은 이 소설에서 여성과 남성이라는 젠더 문제를 1790년대 경제적 상황에 입각해 논의하고 있다. 남자는 현금과 신용으로 이루어진 "움직일 수 있는" 재산을 기본으로 하는 투기적이며 진보적인 자본주의자의 모습으로, 여성은 고전적인 공화파의 보수적이고 토지를 근간으로 한 도덕률을 존중하는 모습으로 그리고 있다. 즉 경제적인 면에서 여성은 가

---

18) 브라운이 다른 종파에 비해 비교적 남녀가 평등한 지위를 갖고 모든 교인을 친구friend라고 부르는 퀘이커교도로 성장했다는 점은 그가 여성의 권리와 평등문제에 관심을 갖는 데 많은 영향을 행사했을 것이다. 당시 퀘이커교도의 인구밀도가 가장 높았던 뉴저지는 여성에게 투표권을 부여했었다. "브라운이 받은 퀘이커교육은 그에게 여성의 정치적 대의권에 대해 본능적인 동정심을 부여했다는 것은 확실하다"(Hinds 167)고 한 하인즈뿐 아니라 클라크Clark 역시 그를 여권론자로 평가하고 있다(55).

정적인 미덕을 바탕으로, 그들의 성공이란 집안에서 가사를 돌보는 것으로 설정한 작가는 이렇게 “안과 밖의 경계선 설정을 통해 국제사회와 미국의 문제, 사회와 개인, 그리고 남성과 여성의 문제”(Chapman 23)를 다루고 있다.

그는 공적 영역과 사적 영역의 대조와 교차를 제시하고 있으나, 공적 영역에서 발생하는 여러 양상을 구체적으로 제시하기보다는 사적 영역, 즉 가정에 침입해 들어가는 세력으로써 공적 영역을 그리고 있다. 가정이라는 사적 영역은 브라운이 작품을 쓰던 1790년대에는 이미 경제활동이 벌어지는 공적 영역으로부터 분리되어 있지 않았다. 경제적 변화와 함께 공공성의 변화는 가정이라는 사적 세계에 강한 압력을 행사해 1790년대에 이르면 바깥 세계로부터의 피난처라는 이 사적인 세계는 일종의 환상으로 여겨지게 된다. 가정은 이미 친밀감과 사랑을 나누는 공간이 아니라는 것을 브라운은 파악하였다. 19세기 중반에 뚜렷하게 나타나는 가정의 변화, 즉 “비즈니스 세계의 비정함이 가정 자체에 침투하고 있어서 가정은 더 이상 차가운 현실 세계로부터 피난처가 아니고 그 연장”(Herman 361)임을 브라운은 제시한다. 그의 작품 속 “사적 영역”은 점점 더 거리를 좁히며 포위해 들어오는 시장의 교환 관계라는 공적인 특성에 둘러싸여 있으며 브라운은 그러한 모순된 공간에 여성의 위치를 설정하고 있다. 남성들 역시 빠르게 변화하는 공적인 세계가 혼란스러우며 바로 이곳에서 그들은 능력과 선함을 시험 당하게 된다. 브라운이 창조한 남성들은 사적 공간에서 시련을 겪는 여성만큼이나 또한 당시 미국 사회에서의 브라운만큼이나 공적 세계에서 성공을 거두거나 행복하게 살 가능성이 없는 듯하다.

브라운은 가정을 고전적인 공화파의 땅에 기반을 둔 농본경제와 새로이 부상하는 자유로운 시장 경제가 대립하는 곳으로 만든다. 사적 영역의 생활에 공적 영역이 점점 더 침범해 들어오는 양상은, 하버마스Jurgen Habermas가 18세기 후반 공적인 것과 사적인 것의 구분이 적용될 수 없게 되어버린 "사회의 국가화"와 동시에 진행되는 "국가의 사회화"라고 정의한 것을 보여준다(28). 이렇게 공과 사의 경계가 모호하게 됨으로써 외부인들에 의해 가정에 거주하는 이들이 능력과 도덕성을 시험 당할 때 그들의 삶은 치명적인 위협을 받게 된다. 이렇듯 비정치적이라고 간주한 가정 공간이 사실은 정치적이다. 다른 말로 하자면, 가사는 단순히 가정 내에서 일어나는 행위가 아니라 공적인 경제와 분리될 수 없으며 외부세계와 계속 접촉할 수밖에 없는 가족 경제가 된 것이다.

경제와 가정의 개념 변화와 함께 브라운은 이러한 문화적인 사실을 기록함으로써 이제 막 정치적, 경제적 독립을 선언한 신생 공화국의 변화에 관한 토론에 참여한다. 가정과 그곳을 둘러싼 경제에서, 브라운은 공화파적인 이상 개념을 제시하고 남성과 여성이 지녀야 하는 덕목에 대한 근거를 만들었다. 브라운은 가정을 사적인 삶과 공적 삶이 대립하는 공간으로 만들어 상충되는 이중의 그림을 제시하며 그들 각각의 가치를 무너뜨린다. 그는 고전적인 공화파의 가치를 표상하는 모델로 가정을 설정하고 있지만, 동시에 그곳이 사실은 공적 영역과 완전하게 분리된 순수하게 사적인 장소가 되지 못하는 불안한 곳으로, 점점 더 공적인 일터의 연장이 되고 있다는 것을 드러낸다. 결과적으로 브라운의 여성은 시장 사회의 공적 원리가 개입하는 모순에 찬 가정이라는 사적 영역에 위치하고 있다.

2

브라운의 두 번째 소설 『오몬드: 비밀 목격자』(*Ormond; or, The Secret Witness*)는 다른 작품에 비해 가장 결함이 많은 작품으로 평가되어 왔다. 그의 작품을 논할 때 일반적으로 지적되어 온 논리적으로 연결되지 않는 기괴한 플롯, 과도한 상징, 매끄럽지 못한 결말, 거기에 중간중간 다른 이야기가 삽입되는 일관성 없는 구성 등과 같은 단점이 가장 두드러지는 작품으로 소홀하게 다루어져 온 것은 사실이다. 그러나 이 작품만큼 그가 관심을 가졌던 여러 문제가 대담하게 다루어진 소설은 없다. 사회정치적으로나 경제적으로 가히 혁명적인 변화가 진행되는 사회에 살았던 브라운은, 이 소설에서 여성 문제, 유동적 사회 계층과 경제적인 문제 그리고 거기에 수반되어 변화하는 가정의 의미를 함께 이야기하고 있다.

브라운이 "재산 다음으로, 우리 관계의 가장 포괄적인 출발 지점은 성sex이다"("Walstein's School of History" 152)라고 했던 것처럼 재산과 성이 결혼이라는 가정적인 행위로 결합한다고 생각하였다. 결혼을 통해 사적 여성이 공적 남성과 결합함으로써 공적 영역과 안전하게 교류할 수 있다는 것이다(Chapman 26). 『오몬드』는 소피아 코트랜드Sophia Westwyn Courtland가 자신의 친구 컨스탠시어Constantia Dudley의 장래 남편감인 로젠버그I. A. Rosenburg에게 컨스탠시어가 얼마나 바람직한 여성인가를 전기 형식으로 들려준다. 이 소설은 성적, 정치적, 경제적 미덕이 씨줄과 날줄로 얽혀있다고 할 수 있다. 젊은 여주인공이 가족의 보호에서 벗어나 그녀 스스로 결혼 상대자를 선택해 독립해 나가는 흔한 이야기 형식을 빌려, 경제적 양상의 변화에 따른 공적 영역과 사적 영역의 변화와 그에 상응하는 여성 공간이라는 가정의 변천, 그리고 거기에서 비롯되는 여성의 삶이 변모되어가는 궤적을 보여준다.

당시 미국의 수도이며 황열병이 창궐하던 필라델피아를 배경으로, 이 소설은 세계의 정치적 위기를 피해 밀려들어온 외국 이주민과 시장 자본주의와 결탁한 사기꾼들 속에서 정숙한 어린 처녀 컨스탠시어가 무능한 아버지 스티븐 더들리Steven Dudley를 부양하고 폭력적인 외부 세력의 침입에 대항하여 자신을 지켜내려는 노력을 보여준다. 이 글은 컨스탠시어의 고난에 찬 삶의 자취를 성에 근거하여 관념적으로 양분해 놓은 경제 영역에서 시장 팽창과 자본 변화에 따른 가정의 변화와 함께 살펴보고, 또한 사적 영역의 변화로 인해 여성의 삶이 어떤 양상으로 전개되며 또 그것을 통해 작가는 우리에게 무엇을 말하고 있는지 찾아보고자 한다.

3

브라운의 소설은 일반적으로 남자는 공적 영역에서 활동하고 여자는 가정이라는 사적 영역에 머물러 있을 때 가장 바람직하다고 상정하고 있다. 『오몬드』에 나타나는 실제 경제 상황은, 여성과 남성의 역할에 대한 기대치로 분리해놓은 공적 영역과 사적 영역을 복잡하게 만든다. 가정과 시장 사이의 구분이 무너지면서 드러나게 된 것은, 사적 자산을 바탕으로 이루어진 개인 세계가 상업적 공적 세계에 의존하고 있고 이를 반영하고 있다는 것이다.

이 소설에서 작가는 일상적 가정사를 이 소설의 중심에 놓는다. 컨스탠시어는 주어진 상황 속에서 일하고 집안일은 그녀에게 성공과 실패의 척도이며, 가정은 그녀와 공생적인 관계 속에 존재한다. 컨스탠시어는 지적인 열망을 지니고 있지만 "그녀의 생활은 여전히 사생활과 집에서 지내는 습관으로 특징지어지는"(185) 본질적으로 "가정적 존재"이며 19세기의 '가정 의식'cult of domesticity에 따르는 "집안의 천사"와 같은 인물이다. 마천드Ernest Marchand는 이 작품이야말로 『알퀸』에서 브라운이 토로한 페미니즘을 보여주는 전범이라고 주장하면서 컨스탠시어를 "새로운 여성"이라고 피력한다. 마천드에 따르면 "그녀는 이성적이며 사변적이고 주의 깊고 관대하며 역경을 당하는 중에도 쾌활하며 용기 있고 자신만만하며 의무를 다하고 겸손하며 지략이 풍부하며 앞을 내다보는 눈이 있으며 현명하고 정연하다"(xxx). 그녀는 지적인 훌륭한 교육을 받았으며 집안을 잘 꾸려가는 중산층 여성의 모습을 보여준다. 로저스Paul Rogers가 얘기하듯 "그녀는 당시 로맨스 소설의 유혹적이며 충동적인 여주인공과 생생한 대조가 되는, 항상 이성의 빛 안에서 움직이는 모범적인 여성이다"(8).

컨스탠시어의 행동반경은 자신의 통제력이 유지되는 가정이라는 영역이며 이곳에서 그녀는 독립적인 자질을 행사한다. 상업세계에 새로이 부상한 공적인 남성들과 대조되면서 가정이라는 사적 영역에서 그녀의 존재가 돋보이게 된다. 꼭 필요하지 않으면 바깥 세계와 교류하지 않는 컨스탠시어는 종종 집 밖에서는 잘못된 거래를 한다. 술집 근처의 건달들에게 괴롭힘을 당하거나 크레이그Craig에게 받은 돈이 위조지폐인지를 모르는 것은 그녀가 "사업" 상의 지식이나 공적 공간의 체험이 없기 때문이다. 컨스탠시어의 절친한 친구이자 이 소설의 나래이터인 소피아는 컨스탠시어의 이런 무지를 가정이라는 울타리에서 살아온 것 때문이라고 분석한다.

> 컨스텐시어는 세상의 원칙들이 매시간 시험당하는 곳으로부터, 극단적인 강인함과 나약한 모든 것들이 서로 부딪치는 곳에서, 은둔

하는 미덕과 사변적인 영웅주의가 과도한 사악함에 밀리는 곳으로부터, 약탈과 살인이 모든 것을 덮어버리고 자기를 내세우지 않는 자선 시스템에 접목되어버리는 곳으로부터, 인류의 선이 비밀스러운 결사와 계약 관계와 함께 추구된다고 공언하는 곳으로부터 멀리 떨어져 살았다. (243)

소피아는 공적 세계를 사악한 세계로 보고 컨스탠시어가 착하기 때문에 상처받기 쉽다고 말하는 것이다. 컨스탠시어의 뛰어난 점은 가사의 경제적인 가치에 근거한 미덕을 지니는 점이다. 그러한 가정적 덕목과 함께, 집에 대한 그녀의 권리는 절약하는 능력에 근거한 것이지 시장에서 요구하는 투자를 통해 재산을 증식하는 능력이 아니다.

컨스탠시어의 지적 능력은 가정 내에서만 통하고 그녀가 통제할 수 있는 곳은 집안이다. 그녀는 무능하고 의욕을 잃어버린 아버지와 함께 뉴욕에서 필라델피아 외곽으로 이사 온 후 집세를 포함해 모든 경비를 마련하며 생활을 꾸려나가야 한다. 시내의 더 싼 집으로 이사할 때도 이사하는 모든 일과 재정적인 문제도 도맡는다. 바느질감이 없어 돈이 다 떨어진 위기상황에서 컨스탠시어는 "옥수수죽 만을 먹으면서 3달러로 석 달을 지탱하려는"(81) 계획을 세운다. 식사로 먹는 옥수수죽은 이들 가족이 황열병을 물리치는 데 도움이 된다. 황열병이 정치 사회적 부패의 메타포를 상징한다면(Christophersen 61) 컨스탠시어의 정직한 예방법은 이런 공공의 위협에 대비하는 빗장 역할을 한다. 그녀는 합리적인 계획으로 가정경제를 설계하고 호사스러운 음식 같은, 예산에 벗어나는 것들에 대해서는 단호하게 미련을 버린다. 대신 컨스탠시어는 확실한 것, 즉 합리적인 계획과 알뜰한 절약 같은 것에 최선을 다한다. 이는 무기 거래와 같은 오몬드가 하는 위험하고 기회주의적 상거래와 대조되는 경제 방식이다.

여기에서 더 주목할 점은 컨스탠시어는 바느질로 근근이 살지만 자기 힘으로 돈을 벌어 산다는 것이다. “그녀는 적어도 자기가 하는 노동으로 사는 사람이다. 비록 이익은 미미하지만 확실했고 자기가 원하는 방식으로 자기의 작은 재산을 관리했다”(63). 컨스탠시어는 집안일을 마치 그것이 직업이듯 집안의 경제적 상황에 대해 숙고하고 창조적으로 집을 꾸려나간다. 좋은 고전 교육을 받았지만 그녀가 지성적 능력을 집안일 너머에 적용하는 것은 차단되어 있다. 컨스탠시어는 비록 어린 나이지만 나라와 가족을 위해 지적인 교육을 받을 기회까지 희생하면서 가정에서 주체가 아닌 “협조자” 역할로 공공에 봉사하는 희생적인 여성, 즉 루이스Jan Lewis가 “공화국의 아내”Republican wife(697)라고 칭한 미덕을 보여준다. 그녀는 밸포Balfour가 청혼한 가장 큰 미덕 즉 “시간과 돈과 노동을 절약하는 놀라운 능력, 의복의 소박함, 침착한 성격, 집에 있는 것을 좋아하는 것 등 부인이 갖춰야 할 가장 중요한 요소”(102)를 가지고 있다.

컨스탠시어는 친구들을 도와주지만 그녀의 재정적 능력은 집안에 제한되어 있다. 남성들이 발휘하는 재정적인 “자선 행위”는 컨스탠시어에게 불가능하다. 적어도 헬레나와 더들리, 그리고 더들리의 눈을 치료해준 의사 등 세 집 살림을 지원할 수 있는 오몬드의 막강한 재정적 능력과는 대조적으로, 컨스탠시어가 행하는 자선은 그녀가 직접 하는 노동으로 이루어진다. 컨스탠시어는 “자선을 완전한 공적 가면으로 생각하는 오몬드” (Nye 324)와는 완전히 다르다. 이웃에게 재정적 도움을 줄 여유가 없는 그녀는 집안에서 하는 일의 연장선상에서 자신의 시간과 노력을 도움이 필요한 사람의 친구로서 내어준다. 황열병으로 죽어가는 메리 휘스턴Mary Whiston을 오빠가 버리고 간 뒤 마지막 병상을 지켜주었고 메리가 죽은 다음 뒤처리를 도맡는다. 그런 다음 자기 역시 황열병으로 고생한 뒤 자리를 털고 일어난 직후에도 백스터Baxter 가족을 챙긴다. 백스터와 그의 큰 딸이 죽은 뒤 부인 새러Sarah Baxter를 도우며 용기를 북돋워 준다. 이 소설의 남자들과 비교해보면 그녀의 자선은 사적인 상호 교류에서 온 것임을 알 수 있다.

컨스탠시어는 외국어 실력을 쌓아 교사라는 전문적인 직업을 갖기 위해 여가 시간을 원한다. 결국에는 몇 가지 사건들을 겪은 뒤에는 이 목표를 이룰 것으로 생각되지만, 집안일을 벗어나 바깥 세계의 활동에 참여하는 것은 현재의 상황으로는 희망 사항으로만 보인다. 컨스탠시어는 경제적 문제를 해결하기 위해 열심이지만 그녀가 할 수 있는 일이란 삯바느질과 이웃 돌보기, 아버지 봉양과 친구 헬레나 돕기, 그리고 돈을 절약하기 위해 집안일을 직접 하는 것에 그친다.

컨스탠시어는 부지런하고 질서를 지키며 자기를 절제하는 미덕을 지니고 있다. 검약은 누구에게나 필요한 것이지만 그녀는 그러한 필요를 직업에 대한 소명 의식으로 실천해 나간다. 절약하며 검소하게 집안일을 꾸려가나 컨스탠시어가 이렇게 하는 것이 꼭 경제적 이유에서만은 아니다. 그녀는 자신을 빈곤한 처지에서 벗어나게 해줄 부유한 남자들로부터 청혼을 두 번 받았다. 그러나 거리의 건달들에게서 그녀를 구해준 상인 밸포Balfour는 돈은 있지만 지적인 사람이 아니라는 이유로 그의 청혼을 거절하였고, 오몬드는 처음에는 헬레나Helena Cleves에 대한 의무감에서 그리고 나중에는 아버지와 소피아의 반대로 그를 거절하였다.

아버지가 딸을 부양하는 전통적인 관계가 완전히 거꾸로 된 데는 컨스탠시어의 아버지 스티븐 더들리의 나태함과 실수가 있다. 그림과 독서에 매달려 사업을 소홀히 했던 스티븐 더들리는 집을 비롯해 전 재산을 잃었다. 자기 손에 "직업의 분주함과 구차함의 때"(42)를 묻히기 싫어했던 그는 크레이그의 손에 약국을 완전히 맡겨 전 재산을 사기당한다. 재산을 잃고 술에 의존하며 살아가는 그는 어린 딸에게 생계를 맡긴다. 시력까지 잃게 된 더들리는 딸에게 더욱 의존하게 되고 "복종과 의무의 관계는 뒤바뀌게 되었다"(178). 집에만 은둔하는 것은 아버지를 무능하게 만들지만, 집에서 컨스탠시어가 살림을 하는 모습은 "공화국의 아내"라는 덕목을 구현하며 규모 있게 살림을 해나가는 여성이다.

컨스탠시어가 살림을 경제적으로 잘 꾸려가는 모습은 그녀 주위의 여자와 비교함으로써 더 잘 드러난다. 마르티네트Martinette de Bauvais와 헬레나는 컨스탠시어와 비교해 좀 더 부유한 계층의 여성을 보여주지만, 이 두 사람 다 가정사를 잘 꾸려가지 못한다. 이들이 자신의 상황에 대처하는 방식은 컨스탠시어와 대조적으로 컨스탠시어가 노동과 검약을 통해 자생할 수 있는 힘을 얻은 데 반해, 헬레나는 남성에게 경제적으로 감정적으로 완전히 의존하는 "감상적이고 유혹당하기 쉬운 어리석은 여성"(Fiddler 102)이다.

> 헬레나 클리브스는 이 세상을 움직이는 원칙을 이해하지 못했고, 그 원칙의 결과로 무엇인가를 주지 않고는 아무것도 얻을 수 없다는 것을 알지 못했다. 그녀는 생계를 버는 것과 관련된 어떠한 것에 대해서도 무지하고 무능력했다. 그녀가 받은 교육은 그녀를 홀로 서게 만들지 못했다. (151)

귀족적인 환경에서 자란 그녀는 용모가 아름답고 악기를 잘 다루지만 오몬드의 유토피아적인 이상을 이해하거나 지적인 세계를 공유하지 못하고 그저 그를 즐겁게 하는 장난감 같은 존재일 뿐이다. "그녀를 현명하게 만든다는 것은 성sex을 바꿔야만 할 정도"(141)인 헬레나는 이성적인 사고를 할 수 없었고 그런 사실이 그녀를 필연적으로 남자에게 버림받게 만들고 죽음으로 내몬다.

그녀는 애정뿐 아니라 금전적으로 오몬드에게 의존하기 때문에 절대적으로 그가 필요하다. 노동을 하도록 교육받지 않은 헬레나는 오몬드와 결혼을 하지 않고 동거함으로써 가족이나 바깥 세계와 완전히 차단되어 "오몬드는 그녀에게 신"(137)이라고 할 정도로 몸과 영혼이 매이게 된다. 헬레나에게 "신과 같이" 전능한 존재인 오몬드가 컨스탠시어에게 관심을 돌리고 그녀가 컨스탠시어의 지성과 경쟁할 수 없을 때 그녀가 택하는 유일한 길은 자살이다. 집안을 지탱하기 위해 가사 일을 직접 해나가는 컨스탠시어는 결국에 가서 헬레나가 잃은 것을 얻게 된다. 컨스탠시어는 아버지가 사기당한 퍼스 앰보이Perth-Amboy에 있는 시골집이 여러 사람을 거쳐 결국 헬레나에게서 컨스탠시어에게 오게 된 것이다.

헬레나와 극단적인 대조를 보이는 마르티네트는 두 사람 역할을 하고 있다. 처음 그녀는 미스 먼로스Miss Ursula Monrose이라는 인물로 등장하여 컨스탠시어처럼 아버지와 집안에 은거하며 여성적 미덕에 헌신하는 사람으로 등장한다. 이웃들에게 미스 먼로스는 아버지와 단둘이 살며 이웃과 거의 얘기를 나누지 않는 프랑스 여자로 알려져 있다. 그러한 미스 먼로스가 13장 뒤에 마르티네트라는 이름으로 등장할 때, 그녀는 컨스탠시어를 깜짝 놀라게 할 정도로, 가정에만 박혀있는 외로운 고아 처녀로 알려진 먼로스와는 거리가 먼 사람이다. 그녀가 살아온 삶의 자취는 컨스탠시어의 상상을 초월한다. 헬레나가 타인에게 자신의 인생을 전적으로 의존하는 점에서 잘못되었다면 마르티네트는 전혀 절제되지 않았다는 점에서 문제가 있다(Ringe 37)는 지적을 받는다. 그녀는 고아가 되어 유럽과 미국을 여행하고 열정적인 남편을 따라 미국 독립전쟁에 참여한다. 그녀는 처음에는 남편에 대한 사랑으로 전쟁에 참전했지만 점차 "자유에 대한 사랑으로"(207) 참전한다. 마르티네트는 컨스탠시어에게 "남자 복장을 한 것이나, 세상을 사는 전략을 습득한 것이나, 모든 분주한 일에 익숙하게 된 것이 모두 기뻤다"(201-02)고 고백한다.

마르티네트의 남성적 행동은 그녀가 오몬드와 쌍둥이double가 아닌가 생각하게 만든다(Ringe 46). 그녀가 오몬드의 동생이라는 사실이 나중에 밝혀지지만, 자유라는 대의명분을 위해 피에 굶주리듯 싸웠던 그녀의 과거는 어느 면에서는 마르티네트가 오몬드와 비슷한 사람이라는 것을 강조한다. 이 같은 점은 『오몬드』에 등장하는 모든 여성들처럼 마르티네트 역시 컨스탠시어를 돋보이게 하는 역할을 하고 있다. 생활비를 마련하기 위해 컨스탠시어가 내놓은 류트를 사는 프랑스 여자로 처음 만났을 때, 컨스탠시어는 그녀에게 관심을 갖는다. 그녀는 마르티네트를 "자신과 같은 부류의 사람"으로 상상한다. 그러나 컨스탠시어는 마르티네트가 남의 생명을 죽이는 행동을 대수롭지 않게 생각하는 것을 보고 "자기와 비슷하다고 생각했던 것을 더 이상 찾을 수 없다"(207)는 것을 깨닫는다.

두 사람 역할을 하는 마르티네트는 자신이 남성적인 면과 여성적인 면을 다 가지고 있는 성향을 "내가 성적인 구분을 생소해 하는 영혼에 감염된 것처럼 느꼈다"(201)고 할 정도로 편안하게 받아들인다. 미스 먼로스라는 인물은 그녀의 본래 모습이 아니라 백스터의 눈으로 본 것이다. 프랑스인에 대한 적대감과 황열병에 대한 두려움 때문에 그는 그녀에게 딱 한 번 말을 건넸을 뿐이다. 호전적이고 남성적인 마르티네트와 프랑스인을 두려워하는 백스터의 모습은 당시 미국인들이 가지고 있던 프랑스 혁명 뒤에 잇달았던 프랑스인들의 과격한 행위에 대한 두려움을 드러낸다(Christophersen 65).

마르티네트는 "백스터가 얘기한 슬프고 우울한 모습은 그의 상상에서 존재할 뿐이다"(208)고 밝힌다. 미스 먼로스가 "우울하고 연약하게" 보인 것은 집 울타리 안에 있는 그녀의 위치 때문이다. 딸이 달빛 아래 뒷마당에서 아버지를 직접 매장하는 행동은 평범치 않지만, 이전의 그녀는 집안을 돌보는 여성의 평균적인 일과를 보여준다. 시장 보러 외출하는 것 외에는 두문불출하는 그녀를 백스터는 쇠약한 아버지를 돌보는 연약한 딸로 여겼으며 아버지를 매장하면서 내쉬는 한숨을 자연스러운 슬픔으로 해석했다. 그러나 마르티네트는 양부 로젤리가 오랫동안 병을 앓았기 때문에 "그의 죽음은 그에게도 좋은 일이었다"고 하며 "자신도 해방감을 맛보았다"(208)고 토로한다. 미스 먼로스의 행동에 대해 백스터와 컨스탠시어가 상상한 것은 여자는 집안일을 해야 한다는 가정적인 관점에서 나온 것이다. 컨스탠시어가 미스 먼로스가 고아이며 집안의 소소한 개인적인 일에만 관심을 가질 거라고 상상할 때 마르티네트가 했던 전쟁터에서의 남성다운 잔인한 행동은 서로 연결되지 않는다. 국제무대에서 일어나는 과격한 행동은 말 그대로 어느 가정사와도 관련이 있는 것 같지 않기 때문이다. 마르티네트가 "평화로운 곳에만 있었던 컨스탠시어는 전쟁 막사에서 사는 여자에게 일어나는 여러 가지 곤경과 혼란을 거의 이해할 수 없을 것"(202)이라고 했듯이 컨스탠시어는 마르티네트를 이해하지 못한다.

그러나 한편으로는 마르티네트는 강하고 능동적이며 독립된 여성을 보여준다. 폭넓은 교육과 체험을 지닌 그녀는 위엄과 힘을 지니고 있다.

> 그녀의 용모 가운데 가장 두드러진 특징은 유혹적이거나 감정을 부드럽게 만드는 것이 아니었다. 그녀는 여성이 지니는 반짝이는 빰

과 부드러운 근육을 가졌다. 그러나 그녀 모습에서 두드러진 것은 담대하고 생각이 깊은 모습이었다. 말하자면 그 여자는 이성적인 사람이었고 그녀를 바라보는 이가 갖게 되는 감정이란 사랑이 아니라 존경이었다. (98)

마르티네트는 아마조네스처럼 강한 여자일 뿐 아니라 류트를 연주하는 음악가이고 지성인이다. 그녀의 행동은 자신을 지키기 위해서는 컨스탠시어처럼 논쟁에서 이기는 것만이 아니라, 여성이 받은 전통적인 교육보다 더 강한 것이 필요하다는 믿음에 근거한 것이라고 볼 수 있다. 브라운은 마르티네트를 통해 "가장 급진적이고 반 인습적인 여성의 행동관"(Paul Lewis 178)을 다루고 있다. 그러나 백스터와 같은 인물은 여자를 가부장적인 준거에 따라서만 해석할 수 있다.

컨스탠시어는 남성적인 마르티네트와의 만남으로 절제와 절약이라는 가정적인 덕목을 더욱 공고히 한다. 그렇지만 그녀와 마르티네트는 이 작품의 많은 여자들처럼 고아라는 공통점을 지닌다. 모나헌Kathleen Nolan Monahan은 브라운이 여성을 고아로 만듦으로써 "여성만이 부딪치는 특별한 문제"만을 탐색할 수 있었다고 주장한다(20). 하지만 깊이 들여다보면 이 여자들은 고아라기보다는 대부분 아버지와 특이한 관계 아래에서 살고 있다. 친부모를 잃고 입양된 마르티네트 역시 오랜 시간 뒤에 만난 양부의 요청으로 유럽에서 미국으로 올 정도로 양부에게 헌신적이다.

아버지의 죽음으로 고아가 되는 헬레나는 다른 인물들에 비해 가족 관계가 자세히 소개되지 않으나, 아버지의 죽음은 그녀 인생에 한층 더 심각한 영향을 끼친다. 아버지의 사망으로 헬레나는 오몬드의 접근에 속수무책이 되기 때문이다. 컨스탠시어와는 다르게 경제적 곤경에 대처하지 못하는 그녀는 아버지의 죽음으로 무일푼이 된 뒤 생계를 이어갈 능력이 없다. 모나헌이 지적하듯 "아버지의 죽음이 친척의 도움을 받아들이게 했고, 그녀가 가장 원망스러웠던 것은 수입이 없어졌다는 점이었다"(18). 헬레나는 자신을 "지키기 위해" 오몬드의 제안을 수락한다. 그에게 끌린 것도 사실이나 재정적으로도 필요했던 만큼 오몬드는 그녀에게 남편으로서보다는 재정적인 후원자나 카운슬러로서 아버지의 역할을 하고 있다.

컨스탠시어의 죽마고우이자 이 소설의 화자인 소피아는 또 다른 면에서 컨스탠시어와 비교된다. 그녀가 소설 2/3 정도에서 화자로서가 아니라 한 사람의 인물로 등장할 때 컨스탠시어와 헤어져 있던 4년을 이야기하면서 그녀의 과거가 드러난다. 어머니에게 버림받은 소피아를 스티븐 더들리는 마치 친딸처럼 돌봐줬었다. 4년 전 어머니가 소피아를 데리고 간 뒤 그녀는 어머니와 함께 살아왔다. "마약에 취한 이상한 행동, 수치가 드러나는 것을 무시하는 행동, 혐오스러운 직업에 종사해온 그녀 어머니를 황홀하게 만든 도취"(220) 같은 표현에서 우리는 소피아의 어머니가 일종의 매춘으로 생활했다는 것을 추측할 수 있다. 소피아의 어머니는 죽기 몇 년 전 감리교도로 개종했는데, 종교적 열정이 일으킨 "절제와 억제에 익숙하지 않아"(222) 남은 생을 거의 정신 이상에 가까운 상태로 지낸다. 평범치 않은 어머니와 함께 살았던 소피아는 평범한 규수에게는 가능하지 않았을 세상 경험을 쌓아 오몬드의 사람됨을 한눈에 파악한다.

『오몬드』에는 컨스탠시어, 마르티네트, 헬레나, 소피아까지 모두 정상적이지 못한 가정의 딸들이 등장한다. 이들은 한쪽 부모와 살면서 바깥 세계와 완전히 차단될 정도로 한 사람하고만 감정적으로나 재정적으로 밀착된 관계에 갇혀있다. 종종 근친상간을 암시하는 이런 친족 관계는 모든 다른 것들로부터의 고립을 보여준다. 이런 고립은 공적 세계와 사적 세계의 타락에 대한 폭넓은 메타포이자 잠재적인 위험인 황열병과 결합하여,

안으로는 가정 내의 비정상에, 밖으로는 타락한 공적 생활에 초점을 맞추도록 한다. 동시에 공공의 무대에 있는 사람들, 즉 마르티네트, 크레이그, 오몬드는 더들리 가족의 사적인 삶에 개입하게 된다.

더들리 가족의 근친상간적인 상황은 많은 것을 상징한다. 사람들과의 모든 관계를 끊고 집에만 있던 더들리가 장님이 된 사실은 공동체와의 관계가 봉쇄되어버린 사람에 대한 극단적인 상징이며 도시가 완전 봉쇄될 때까지 포위해오는 전염병의 존재를 알지 못할 정도의 극도의 프라이버시를 나타낸다(Hinds 50). 외부인들과 만나지 않기 위해 성까지 바꿔버린 아버지와 필요한 것 외에는 바깥 세계와 일체 교류를 하지 않는 딸로 이루어진 더들리 가족은 밖으로부터 상처를 입을 수 있는 가능성을 배가시킨다. 더들리 가족은 성적으로 근친상간 관계가 아니지만, 그들이 사는 모습은 실제 근친상간적인 양상과 정확하게 평행을 이루고 있다. 바깥세상의 위험으로부터 자기들을 안전하게 지키고자 하는 배타적인 태도가 오히려 사기와 속임수에 능한 공적 인간을 자기네 집안으로 불러들여 집안을 파괴하는 결과를 초래하게 된다.

이러한 근친상간의 모티브는 경제적 메타포로 작용한다. 왜냐하면 공적으로 상호작용하기를 거절하고 가장 제한된 세계에서 생계를 유지하는 가족은 시장 사회에서 살아남을 수 없기 때문이다. 더들리의 전신으로 평가되는 「집에만 있는 남자」("The Man at Home")의 주인공이나 더들리 가족처럼 바깥 세계와 교류하지 않고 사적 세계에만 안주하는 사람들은 위험에 처하게 된다. 경제적으로 자족하지 못하면서 세상과의 교류를 회피하는 더들리 가족은 결국에는 외부로부터 침범당하게 되는 사적 생활의 불안함을 상징적으로 표현한다.

4

새로운 부는 시장 자본이라는 공적 영역과 만나면서 창출된다. 오몬드와 같은 공적 인물은 전통적 선함의 힘을 넘어서는 위력을 갖게 된다. 화폐와 주식이라는 '가공의' 가치에서 예측할 수 있듯이 지폐와 주식의 교환이라는 바로 그 공적 성격이 사기와 속임수를 부추기게 된다. 그런 모순된 특징이 오몬드라는 인물에서 자선 행위와 남의 말 엿듣기, 이타주의와 국제적인 사기행위와 같은 역설적인 특성이 혼재하며 드러난다.

이는 오몬드가 도덕성이란 전혀 없는 전통적인 악당과 같은 인물이라는 말은 아니다. 그가 처음 등장할 때 상세히 이야기된 그의 도덕적인 면은, 거대한 부와 영향력을 가진 공적 인물에 의존하는 공화파의 미덕을 보여준다. 오몬드가 여러 면에서 컨스탠시어와 전혀 다른 기준을 지니고 있는 점은 분명하다. 이 소설을 우리(로젠버그)에게 들려주는 소피아는, 컨스탠시어를 소개할 때 강조했던 가정적이고 사적인 행동 대신 오몬드에 대해서 그의 사상과 정치적 이론을 이야기하며 장대하게 등장시킨다. 하버마스가 말하는 "부르주아적인 공적 영역"에 거주하는 그는 시장의 가치를 사적 관계의 장소에 주입함으로써 공적이며 사적인 행동에 참여한다. "인간은 영원한 운동과 유용성의 동기 이외의 존재가 될 수 없다. 인간은 기계의 일부분이다"(127)라고 생각하는 그는 인간은 개인으로는 개선되지 않고 사회적 기계의 일부로서만 "전반적으로" 개선된다고 믿는다. 이런 기계론적 관점은 사회에 대한 공화주의적 의무를 패러디한 것처럼 보인다. 한 사람 한 사람 구체적인 개인보다는 "일반적인" 인간에 대해 극단적인 관심을 기울이는 이런 류의 유토피아니즘은 개인에 대한 어떠한 의무도 허용하지 않는 순전히 공적인 인간관이다.

그러나 오몬드는 서로 모순되는 점을 가지고 있다. 그를 통해 인간성을 기계로 추상화시킨 극단적인 공적 정신이 비판되고 있지만 동시에 그는 이 소설에서 "가장 지적으로 활발하며 선함과 고결한 정신을 실천하는 인물"(Krause 578)이라는 평을 받는 인물이기도 하다. 이 소설의 서문 격인 스케치 「집에만 있는 남자」에서 인용한 다음 구절은 오몬드라는 인물을 나타내는 듯하다.

> 유용한 역사에 대한 주제를 선택하는 데 가장 중요한 점은 인물의 선함이 아니다. 가장 주된 관점은 정신과 힘과 천재성에 주어져야만 한다. 사악한 목적을 증진하는 데 쓰였던 거대한 에너지는 매우 유용한 볼거리를 제공한다. 내게 정직한 어리석음에 대해서보다는 당당한 범죄 이야기를 들려주시오. (71-72)

오몬드는 개인이 성숙할 수 있는 능력은 경멸하나 공적이며 사적인 자선 행위를 베푸는 의무감에 사로잡혀 있다.

> 사악함은 선함과 의무가 의미 없는 용어라는 예비단계에 뒤따라오는 것은 아니다. … 사람은 자비로운 욕망을 포기해서는 안 된다. 그것은 행복의 구성요소이다. 그는 보편적이고 특별한 기쁨의 가치를 알았다. 그는 그 기쁨을 때때로 상상 속에서 그려보았다. … 그의 감수성은 자기가 그린 상상의 그림이 인류의 현 상태에서 전복된다면 상처를 받을 것이다. 현명한 사람은 보편적인 이익을 추구하는 것을 포기할 것이나 그런 이익에 대한 욕망이나 그런 이익이 성취해내는 개념을 포기하는 것이 아니다. 왜냐하면 그런 것들이 그의 행복의 근원이며 미덕의 요소에 들어있기 때문이다. (127-28)

비극적 감수성에 가까운 오몬드의 이런 모순적인 아이디어는 거의 부조리하다. 고상한 열정을 가진 사람이 그것이 작동하는 현실을 믿지 않는다는 것이다. 어떤 경우에나 오몬드의 힘은 공적이고 공화파적인 덕목에 근접한 '고상한' 목적을 지니는 모호하고 어두운 위력에서 파생된다.

그가 어떠한 사고를 지닌 사람이든 간에 오몬드는 다른 이들에게 자선을 베푼다. 폭넓은 그의 아이디어는 믿을 수 없을 정도로 막강한 경제적인 능력 위에서 가능하다. 그가 받은 광범위한 국제적인 교육과 함께 이 거대한 자본은 그의 계획을 실행 가능하게 한다. 사람들에게 자선을 베푸는 행위가 그에게는 체스판 위의 말과 같은 기능을 하기 때문이다.

> 오몬드에게 돈의 사용은 어떠한 고정된 원칙으로 수렴할 수 없는 여러 가지를 지닌 자선이라는 과학이다. 돈을 분배하는 데 있어서 어떤 사람도 그가 자선을 베푸는지 상처를 가하는지 구별할 수 없다. (133)

헬레나와 컨스탠시어를 돕는 것은 그에게 과학적인 실험과 같다. "전략적인 체스게임을 좋아하는 사람"(143)답게 자선을 베푼 뒤 그는 그 사람들의 가정에 무슨 일이 일어나는가를 지켜본다. 이런 태도는 크레이그를 사업차 뉴욕으로 보낸 다음 그의 사기행위를 알게 되었을 때 "맹세코 실망보다는 만족스러운 논조로, 이 친구는 자기가 하는 일에 노련한 작자이니 후회하지는 않는다. 난 싼값에 좋은 구경거리를 샀어"(158)라고 하는 오몬드의 말에서 잘 드러난다. 이는 마치 다른 이들의 행동을 냉정하게 관찰하는 과학자와 같은 모습이다.

오몬드의 거대한 부는 그를 더욱 위험스러운 인간으로 만든다. 사람들에게 익명으로 재정적 도움을 주면서 도움을 받는 사람들에게 신과 같은 역할을 하는 그의 행동은, 18세기 기계론적인 신을 악의적으로 확장해 놓은 것이다(Hinds 59). 그가 베푸는 선행은 타인의 행복과 불행에 초자연적일 정도로 기묘하게 개입함에 따라 단순히 재정적인 의미를 넘어선다. 오몬드는 더들리 가족을 빈곤에서 구제해주었을 뿐 아니라 그들에게 옛집을 돌려주었고 더들리의 시력까지 찾아준다. 그러나 그는 신이 준 것은 신이 다시 앗아갈 수 있다는 것처럼 행동한다. 그는 더들리의 시력을 찾아준 뒤 컨스탠시어의 애정에 더욱 공고하게 다가서기 위해 "장애물"이라고 판단된 그를 살해한다. 그녀에게 자기네 두 사람의 행복을 위해 그녀의 아버지를 죽였다고 하며 "그의 죽음은 당신과 나의 행복을 위한 제단에 바치는 적당하고 공정한 제물"(266)이었다고 주장한다. 적어도 그는 헬레나의 아버지가 죽은 뒤 재정적으로 그녀에게 영향력을 행사했던 만큼 컨스탠시어를 통제하고 싶어 한다. 헬레나에게 오몬드는 물질과 애정의 후원자를 넘어 삶과 죽음을 통제하는 꼭두각시를 조종하는 사람과 같았다. 퍼스-앰보이의 집에서 그가 컨스탠시어에게 가하는 위협은 그녀를 완전히 손아귀에 넣기 위해 계산된 것이다. 이러한 오몬드의 태도는 가부장제를 지지하는 남성들의 자기기만과 이기주의 극단을 보여준다(Paul Lewis 180).

그가 "그녀가 살았거나 죽었거나 내 눈앞에 있는 상품은 내 것이다" (269)라고 하면서 "나는 내가 한 말이 실행되는 것을 보기 위해 여기에 왔다"(260)고 하는 그의 외침은 성서의 문구를 상기한다. 마치 신과 같은 막강한 위력은 오몬드 같은 사기성이 농후한 사람들로 이루어진 시장에서 상호 교류를 통해 확장되고 그곳에서 얻은 재력으로 가능해진 것이다. 공적 세계와 오몬드의 만남은 그가 맺고 있는 모든 사적 관계를 규명하게 한다. 그는 크레이그와 같은 인간에게서는 돈과 힘으로 구할 수 없는 것을 다른 사람으로부터 얻기를 원한다. 그에게는 다른 이들에게 돈을 나눠 주는 자선 행위가 게임이듯, 다른 이의 삶에 대해 자기가 세운 계획 역시 그렇다. 오몬드가 신에 버금가는 막강한 위력과 사업가의 능력으로 공적인 시장 사회에서 사람들을 "구매하는" 능력은 사적인 영역에서는 그가 관심을 가지는 사람들을 통제하려는 욕망으로 전환된다.

오몬드가 지닌 신과 같은 힘은 단순히 재정적인 위력에서 나오는 것은 아니다. 다른 사람으로 감쪽같이 변장하는 재능을 가진 오몬드는 무대가 아닌 현실에서, 배우가 아닌 진짜 사람으로 자신의 드라마를 연출한다. "그의 드라마는 가공의 것이 아니라 진짜였다. 그것은 마치 초자연적인 수단으로 다른 이들의 사생활에 접근하게 하는 그의 능력으로 만드는 진짜였다"(130). 컨스탠시어가 종이에 글을 쓰기도 전에 편지를 쓸 계획을 알고 있는 것이나 소피아와 단둘이 나눈 이야기까지 파악하고 있는 능력이 "그를 마치 신과 같은 무엇을 가지고 있는 것처럼 우쭐하게 만들었다"(130). 그는 사업 동료나 경쟁자 그리고 더들리 가족처럼 자기가 알고 싶어 하는 사람들을 몰래 알아보기 위해 변장한다. 오몬드가 그런 힘을 얻은 것은 "가장"하는 능력, 어떤 인물로도 능숙하게 변장하는 능력이다. 그 역시 그런 것을 세상에서 생존하기 위해 배웠다.

> 사람들의 속임수는 그를 변장에 의존하게 만들었다. 사람들의 태도가 오몬드만큼 올바르고 분명하게 거래를 했다면, 그것은 쓸모없었을 것이다. 그러나 그들이 전략과 속임수를 계속해서 사용했기 때문에 그는 똑같은 무기를 갖추겠다고 생각했다. (130)

그는 흑인 굴뚝 청소부로 변장하여 더들리 집에 들어가 그들이 나누는 사적인 대화를 다 엿듣는다. "초자연적인 수단으로 남의 사생활에 접근하면서"(130) 자기를 알아차리지 못하게 변장하는 행동은 오몬드를 사기꾼의 화신으로, 그의 리얼리티는 다른 곳에 두고 "걸어 다니는 유령"(130)과 같은 존재로 만든다. "그가 자신에 대해 가장 자랑스러워하는 것은 진실함이고, 아무 것도 속이는 게 없는 듯했고, 그의 이야기를 듣고 있으면 다른 이가 하는 진실에 대한 주장은 의심스럽게 보였다. 그러나 다른 한편으로는 그의 행동을 지켜보면 약간 다르다는 결론이 제시될 수 있었다" (129). 진실을 이야기하는 듯하면서도 몰래 다른 사람으로 변장하는 그는 "비록 그보다 더 쉽게 파악되는 사람도 없는 듯이 보이지만 어떤 사람도 그보다 더 불가해한 사람은 없었다"(129).

브라운의 소설에 많이 등장하는 협잡꾼과 사기꾼은 이 작품에서도 역시 중요한 역할을 담당하고 있다. 더들리 가족의 전 재산을 가로챈 크레이그의 사기행위는 자신을 다른 사람이라고 사칭하는 것으로 이루어진다. 하지만 오몬드의 무시무시한 과거와 끔찍한 행위는 크레이그가 했던 사기행위를 "어린아이 장난"(130)처럼 만들어 버린다. 수많은 변장과 술책 그리고 막대한 재력을 가진 그는 크레이그로 하여금 더들리를 살해하게 만든 뒤 자신이 크레이그를 살해한다. 이 작품의 공적 세계는 마치 사기꾼들의 네트워크인 것처럼 보인다. 공화파의 공적 의무란 브라운에게는 사적 인간, 즉 개인 하나하나의 성실함의 원칙에서 출발한 18세기적 관점을 기본으로 한다. "18세기에는 자선과 진실함이 서로 연결되어 있었다. 사기꾼은 이타적인 인간이 될 수 없었고 이기적인 인간들은 사람들로부터 고립될 수밖에 없었다"(Nye 324). 하지만 오몬드라는 인물을 창조하면서 브라운은 사기꾼이 자선을 행하는 역설을 염두에 두고 있다. 자선과 속임수 둘 다 다른 사람들과의 상호작용을 통해서만 가능하다. 팽창하는 자유시장 경제에서 형성된 막대한 자본으로 가능한 자선 행위에 대해 갖는 작가의 의심은 시장 사회의 속임수에 대한 확신에서 온 것이다.

사기 게임에서 뛰어난 오몬드는 자유 시장 자본을 경제적으로 상징한다. 그는 "공공의 복리"를 위해 사적인 이익을 희생하는 듯이 보인다. 그런 그의 행동은 시민의 의무와 자선이라는 고전적인 공화주의 원칙 위에서 공화주의를 유토피아니즘으로 확장한다. "브라운은 오몬드가 실천하는 원칙이 혁명적이고 계몽주의적인 것으로 상정하고 있다. 그러나 오몬드의 혁명적이고 계몽주의적인 원칙은 잘못되고 이성적인 꿈은 기괴하게 변형되었다"(102)는 피들러Fiddler의 지적처럼 왜곡된 그의 자선 행위는 오몬드라는 인물을 공적 미덕을 표양하는 사람에 대한 끔찍한 패러디로 만든다. 오몬드의 범죄, 즉 결국 그를 악당으로 만드는 특징이 사기라는 것은 공적 영역에서 활동하는 모든 인물들의 경제적인 특성을 상정하는 것이다.

이 소설의 모든 개인은 사기성이 농후한 공적 세계와 따로 존재할 수 없을 정도로 시장 사회에서 위조된 인물이 개인의 운명을 결정한다. 그런 성격의 공공성이 가정이라는 사적 세계를 지배한다. 오몬드의 범죄는 재정적인 측면뿐 아니라 다른 이의 사생활을 들여다보는 그의 행동으로 나타난다. 그는 사람과 사람 사이에 지켜져야 하는 경계나 사적 세계와 공적 세계 사이에 존재할 것이라고 추정되는 선을 존중하지 않는다. 더들리의 집에서 일어나는 일들을 몰래 지켜보았던 그가 컨스탠시어의 애정이라는 좀 더 사적인 세계에 들어가게 되자 그녀를 폭력으로 차지하겠다는 생각도 불사해 그녀의 몸에 대해서도 거침이 없다.

급진적 개혁을 주장하는 일루미나티Illuminati 회원인 오몬드가 지닌 과격한 여러 아이디어 가운데 하나는 결혼이라는 의식이나 그에 따르는 미덕이나 순결을 무시하는 것이다. 오몬드는 컨스탠시어를 결혼하지 않고 육체관계를 허용하도록 설득하지만 그녀와의 토론에서 그는 자기 주장을 관철하지 못하게 된다. 컨스탠시어는 『알퀸』의 카터 부인처럼 그의 주장에 대해 충격이나 분노를 나타내지는 않지만 여성은 오직 법적 관계를 통해서만 보호받을 수 있다는 근거를 찾아낸다. 오몬드의 결혼관은 "브라운이 창조한 남성들이 결혼과 여성에 대해 지니는 태도에 문제가 많음"(Person 33)을 다시 한번 확인하게 한다.

오몬드는 교활하게 가장 저항이 적은 수단으로, 즉 컨스탠시어의 지성을 통해 그녀의 애정에 다가가기를 원한다. 컨스탠시어보다 세상 경험이 많은 현명한 소피아는 컨스탠시어가 받은 고전 교육이 종교관을 약화했고 그런 그녀의 성향을 꿰뚫어 본 오몬드로 인해 상처를 받을 것을 예고했었다. "그녀는 종교를 잘 알지 못했다. 그녀의 이런 결점은 아버지의 교육방식 때문이었다"(182). 컨스탠시어는 도덕에 대한 오몬드의 설득에 솔깃하고 영향을 받는다.

> 오몬드는 다른 이들의 의견을 휘어잡는 것보다 더 좋아하는 것은 없었다. 다른 이들의 행동에 절대적인 힘을 행사하기 위해, 그들의 팔다리를 제지하거나 자기의 권위에 복종하도록 만들어서가 아니라 자기의 부하가 거의 의식하지 않는 방식으로 힘을 발휘하였다. 그는 자신의 안내가 그들의 걸음을 통제하기를 원했지만 그의 힘이 가장 효과적일 때도 의심받지 않기를 원했다. 그가 컨스탠시어의 의견을 지배하고자 애태운다면, 그녀의 상황을 통제하려고 한다면, 그가 행하는 방법은 지금까지 그런 목적을 위해 굉장한 도움이 되는 것이었다. (180-81)

컨스탠시어는 그녀가 받은 고전 교육과 가난 때문에 더욱 상처받기 쉽다.

오몬드가 옛 집을 찾아주고 재정적인 도움을 주자 그녀는 그에게 매이게 된다. “그녀는 자기 친구 오몬드에 대한 의무를 잊지 않았다. 아버지의 시력을 되찾은 것도 그에게 신세를 졌고 간접적이기는 하나 지금 누리고 있는 풍요로움도 본질적으로 그의 덕분이었다”(179). 자신의 목적을 이루기 위해 그녀의 빈한한 처지를 이용하는 오몬드는 컨스탠시어에게 그 빚을 갚을 것을 요구한다. 이 소설은 채무관계, 여성의 미덕, 자본의 성격과 같은 주제를 다루면서 가정적인 미덕이야말로 모든 계층의 여성들이 유일하게 수용할 수 있는 것으로 제시된다. 그러나 시장 경제를 바탕으로 하는 새로운 세계에는 이런 여성이 발을 붙일 곳이 없다.

> 컨스탠시어가 친구도 없고 빈곤한 점이 아주 운 좋게 정확히 자기 기준에 알맞았다. 상당히 잘 살던 높은 곳에서 이렇게 낮은 데까지 내려와야만 했던 그녀는 세습되어 온 가난에 따르는 무기력을 잘 모를 것이다. 그리고 자기 힘으로 그녀에게 되찾아주는 수입을 그녀가 정당하게 평가하고 사용하는 자격이 있다는 것은 그의 선견지명이 파악한 것이었다. 그녀의 생각은 그의 지도를 잘 따라왔다. (181)

이 소설의 결말은 오몬드가 컨스탠시어를 육체적으로 범했는지 범하지 않았는지를 분명하게 밝히지 않는다. 그러나 오몬드가 용의주도하게 그녀에게 자기의 사고방식을 주입해놓았으므로 이는 그리 큰 의미가 없다. 그는 시장에서 배운 사기행위를 개인의 가정과 사고에 이식하는 것을 체득한 것이다.

오몬드가 컨스탠시어를 폭력으로 차지하려는 행동은 가정이 보호해준다고 하는 사생활의 입지를 함축적으로 보여준다. 자기 집에서, 그것도 집 가장 내밀한 곳에서, 그녀가 글을 쓰는 작은 구석방에서 오몬드의 습격을 당하는 것은 가정이 절대적으로 안전하지 못하다는 것을 보여준다. 소피아는 오몬드같은 사람으로부터 자기를 방어한다는 것이 얼마나 바보같은 일인지 잘 알고 있다. "잠을 자지 않고 보초가 지키며 돌과 쇠로 된 담으로 방어가 되는 성채는 없다. 아마 그런 곳에서 그녀가 그의 전략으로부터 피할 수 있을지도 모른다. 그렇게 피할 수 있는 곳이 있다 할지라도 그녀는 오몬드처럼 완벽하고 용의주도한 적으로부터 숨을 수 없을 것이다"(252)라는 소피아의 예상처럼 오몬드는 컨스탠시어의 지적 능력까지 통제할 정도로 전폭적인 재정적 도움을 줘 컨스탠시어의 마음이라는 좀 더 사적인 영역에까지 침범해 들어간다. 컨스탠시어의 여러 자질과 순결은 브라운과 소피아가 칭송하고 있기는 하나 오몬드가 컨스탠시어에게 가하는 폭력은, 사적 세계의 착한 여성이 막강한 위력을 가진 공적 남성에 의해 지배당하는 양상을 보여주며 가정이라는 공간이 안전하다고 하는 믿음은 신기루에 불과한 것임을 드러내고 있다.

5

브라운은 결말에 가서 컨스탠시어를 오몬드와 같은 거대한 위력과 무모한 생각을 가진 남자의 공격을 물리치고 살아남도록 만든다. 작가는 여성의 고유영역이라는 가정의 경계가 무너지고 있으며 가정이 시장 사회의 연장임을 인식하였고, 이미 그곳에 안주하기를 거부하거나 경제적인 여건상 안주할 수 없는 여성이 있다는 점을 인정하기는 했지만, 여성이 가정이라는 사적 영역에 머무르며 그곳을 지켜주기를 원하고 있는 듯하다. 그는 컨스탠시어를 이 작품에 등장한 많은 여성들과 비교하면서 모든 역경 속에서도 가정을 지키고 문제를 해결해 나가려는 의지를 지닌 가장 도덕적인 인물로 제시하며 이 작품의 중심에 놓는다. 브라운은 그녀를 장식적인 존재로 교육받은 헬레나나 세계를 무대로 활동하는 남성화한 마르티네트보다는, 헬레나처럼 아름답고 악기를 잘 다루면서 동시에 마르티네트와 같은 폭넓은 교육을 받았으나 자신의 소양과 능력을 가정을 꾸리는 일에 전념하며, 컨스탠시어Constantia라는 이름이 일관성consistancy을 의미하듯이 "꾸준함과 지조"를 지키는 이상적인 여성으로 그리고자 하였다.

브라운은 가정을 지키기를 바랐던 컨스탠시어의 안내자로 소피아를 제시하고 있다. 이제 소피아는 컨스탠시어에게 무능했던 아버지보다 훨씬 더 든든한 방어벽이 되어줄 것이며 현명한 안내자가 될지도 모른다. 이러한 브라운의 의도는 컨스탠시어의 가장 바람직한 안내자로서 세상 물정에 밝고 경험이 많으면서도 오몬드나 마르티네트와는 달리 과격하지 않고 시장 사회의 악에 물들지도 않은 결혼한 여성을 제안하는 것으로 짐작 가능하다.

그러나 이 작품 역시 브라운의 여느 작품처럼 그의 공적인 입장을 대변하는 긍정적인 교훈주의와 그 이면이 드러내는 어두운 비관주의에서 동요하고 있으며(Russo 226), 자신이 공식적으로 주장하는 바에 대해 확신보다는 끝없는 의문을 제기하고 있는 것을 완전하게 숨기지 못한다. 항상 "미국 사회 구조 내에서 여성의 위치와 여권주의에 대해 끊임없이 동요했던"(Watts 237) 사람답게 브라운이 소피아를 통해 우리에게 하는 이야기는 또 다른 이야기를 행간으로 전하고 있다.

컨스탠시어가 오몬드라는 강력한 남성의 공격으로부터 자신을 방어하고 살아남았지만 이러한 '행복한' 결말에 대해 우리는 크게 행복해 할 수 없다. 컨스탠시어가 오몬드로부터 자신을 지키기 위해 저지른 살인이라는 끔찍한 기억을 지울 수 있을지 의문이다. 또 오랫동안 소식이 끊겼던 친구 소피아와 뜨거운 재회에도 불구하고 이 소설의 마지막 장면은 컨스탠시어가 완전히 고립되어 있는 모습을 보여준다. 컨스탠시어를 영국에 남기고 유럽으로 돌아간 소피아는 이제 막 결혼한 남편에게 관심을 쏟을 것이고 마르티네트는 말도 없이 사라졌으며 헬레나는 자살로 생을 마감하였다. 항상 같이 있어 주었던 아버지는 살해당했고 그녀의 애인이라 할 수 있었던 오몬드는 자기 손에 죽었다. 컨스탠시어는 "잘못된 양심의 가책"으로 어찌할 바를 모르고 있다.

결혼이야말로 공적 남성과 사적 여성이 동등하게 결합할 수 있는 공인된 제도라고 했을 때 이 소설은 컨스탠시어가 어느 누구와도 결혼할 가능성을 보여주지 못한다. 물론 로젠버그라는 독일인이 "그녀에게 깊은 관심을 보이고 있고"(37) 소피아는 그에게 컨스탠시어의 이야기를 하고 있으나 이 시점에서 우리는 컨스탠시어와 그 사람의 현재 관계에 대해 아는 바가 없으며 더군다나 그들의 미래에 대해서는 더욱 예측하기 어렵다. 이 소설의 전반부는 컨스탠시어가 비록 곤궁한 처지로 떨어졌다고는 하나 새로운 집, 새로운 삶, 새로운 친구 관계, 새로운 구혼자를 만나는 것을 제시하고 있다면 후반부는 이러한 관계가 하나하나 닫히는 것을 보여준다.

『오몬드』의 결말에서 컨스탠시어는 시골의 별장으로 갔다가 결국에는 영국으로 건너간다. 소피아가 들려주는 영국에서의 컨스탠시어의 생활은 "거의 단조롭다"(276)는 것이다. 결국 그녀는 캐플런Amy Kaplan이 말하는 "가정소설의 특권적 공간이라고 하는 여성 주체의 내부"(600)로 움츠러든다. 컨스탠시어가 퍼스-앰보이의 집으로 도피하는 것은, 다시 말해 필라델피아에 있는 집의 바로 대문 밖에서 일어나는 자본주의 시장 문화와 도시로부터 도피하는 것은, 시장 사회 이전의, 아마도 독립전쟁 이전의 제퍼슨적인 이상과 그녀의 "순수하고 거리낌 없던 어린 시절"(254)로 회귀하고자 하는 욕구를 나타낸다고 주장할 수도 있을 것이다. 그러나 컨스탠시어가 영국으로 건너간 것, 미국이라는 신생 공화국의 실험으로부터 떠난다는 것은 독립혁명 이전 세계에 대한 향수 어린 요구를 복잡하게 만든다.

주인공이 영국으로 이주해 미국 땅에서 미국 남자와의 결혼 가능성을 배제한 것은, 시장 사회로 급격히 이동해 가는 미국 사회에서 일어나는 사적 세계와 공적 세계 간의 교류 가능성에 대한 작가의 비관적 인식을 드러낸다. 『윌랜드』에서 클라라 윌랜드Clara Wieland가 오빠와 그 가족을 다 잃고 미국을 떠나 유럽에 정착한 것처럼, 소피아를 따라 컨스탠시어가 영국으로 간 것은 미국 사회의 경제적, 사회적 타락 그리고 그로 인한 인간관계의 왜곡에 대한 작가의 절망을 엿보게 한다. 사적 영역과 공적 영역 간의, 사적 공간의 여성과 공적 공간의 남성 간의 관계 위기를 그린 이 소설이 사적 인물에 의해 공적 인물이 살해되는 사건으로 끝난다는 것은, 두 영역간의 상호 교류에 관한 모든 잠재적 가능성이 붕괴되는 것을 보여주고 있다.

『에드거 헌틀리』: 미국인으로 뿌리내리기

1

"본격적인 미국 문학의 개척자"로 평가되는 찰스 브록덴 브라운이 살았던 미국은 정치적으로나 사회적으로 격심한 변화가 진행되던 시기에 걸쳐있다. 사회 모든 면에서 빠르게 변화하던 신생국 미국은 격심한 동요와 그에 따른 불안감이 팽배해 있었다. 새로운 정치 체제를 정립하는 경험을 규명하고 표현하려는 브라운의 의도는 자연스럽게 미국 문학의 형성에 앞장서게 되었다.

당시 미국에서 지성의 중심지였고 수도 역할을 했던 필라델피아에서 태어나고 살았던 브라운은 국민문학을 형성하는 지도적인 작가가 되기에 적합한 시기와 장소에 위치해 있었다. 그에게 미국인이 되는 것은 변화되어야 한다는 것을 의미했으며 사물의 외양과 내적인 동기, 정체성을 설정하거나 파악하기 어려운 모든 것이 모호하고 경악스러울 정도로 유동적인 사회를 담아냄으로써 독립을 이제 이룩한 신생사회의 불확실성을 표현하였다(Fussel 172). 브라운에게 1798년은 성년으로 완전히 들어서지 않은 자의 불안감과 갈등, 우유부단함에 사로잡혀 있었던 시기였다. 그에게 글쓰기는 성숙하지 않은 심리적 에너지를 분출하는 카타르시스적인, 거의 마술적인 작업이었다. 친구에게 그는 "글쓰기를 통해 무언가를 만들어내고자 하는 갈망은 나를 지탱해주는 것으로 내 정신에 필요한 정신적으로 필수불가결한 것"이 되었다고 했던 고백은, 그에게 글쓰기는 보다 성숙한 관점을 지니게 만들어 주었음을 보여준다. 그러면서 브라운은 "이 세상은 바보가 지배하는 게 아니라 솟구치는 열정과 지적인 에너지를 가진 사람에 의해 움직인다. 그런 것을 보여줌으로써 우리는 연구하고 사고하는 사람들의 영혼을 황홀하게 하며 주의를 끌 수 있다"(Butler 17)고 토로하는데, 이는 법률 공부를 포기하고 작가가 되고자 한 그에게 글쓰기가 어떤 의미를 지녔는지 짐작하게 만들어준다.

브라운 개인적인 입장에서 1798년에서 1800년까지 약 18개월 동안의 폭발적인 창작 에너지는 문학적 표현과 사회적 성공을 갈망한 젊은이의 고통스러운 몸부림이며 용광로와 같은 오랜 복합적인 과정을 통해 형성된 것이다. 자신이 속한 상인계층에 편하지 못했고 지주계층도 아닌 브라운은 불안정한 자신의 사회경제적인 위치에 민감했고 자신의 확실한 정체성을 설정하고자 한 노력은 그로 하여금 개인의 발전과 사회적 발전 사이의 강한 연관성을 제기하게 만들었다. 작가의 비전을 「왈스타인 역사학교」("Walstein School of History")에서 "사회적 도덕의 방향을 설정하고 창조하는 것"(152)이라고 제시한 바 있는 브라운은 자신이 사는 시대의 문제를 인식하고 있다. 즉 이성에 대한 과신, 계몽주의가 함축하고 있는 모순의 무시, 교리에 지나치게 영향 받기 쉬운 성향, 자아의 어두운 이면 검토를 외면하는 성향 등 갈등으로 얽혀있는 문제를 파악하고 있었으며, 그의 소설들은 심리적, 철학적, 도덕적 딜레마를 가장 심오한 수준에서 다루고 있다(Christophersen i). 그의 소설은 이런 점에서 미국이라는 나라를 여러 겹의 거울로 비추면서 재현한다.

이러한 야심 찬 포부를 지니고 발표한 소설들이 거의 팔리지 않는 저조한 판매실적은 전업 작가로서 살겠다는 브라운의 희망을 좌절시켰으나 비평가들은 그 소설들이 지니고 있는 잠재성에 주목하였으며, 미국 문학이 장차 나갈 방향 가운데 하나를 설정했다고 평가하였다(Watts 72). 그의 작품을 평가할 때 항상 거론되는 일관성 없는 플롯, 미완성으로 끝나는 인물들, 과도한 상징, 매끄럽지 못한 결말은 그의 소설을 유럽의 고딕소설을 모방한 진부한 작품으로 평가 절하되게 하였지만(Cowie 69), 그의 작품이 지니는 비전의 대담함과 강렬함은 "완전히 숙성되지 못하고 깨져버린 훌륭한 맛을 지닌 포도주"(Watts 72)처럼 아쉬운 뒷맛에도 불구하고 그 향기를 충분히 느끼게 한다. 소설 기교적인 면에서의 단점에 대한 실망이 베임Nina Baym으로 하여금 브라운을 군소 작가로 치부하게 만들었으나(88), 초기 미국 소설을 "문화적 작업의 일환"으로 재평가하는 데이비슨Cathy Davidson 같은 비평가는 다음과 같이 브라운의 소설을 새롭게 읽을 수 있는 관점을 제공하였다.

> 초기 미국 소설은 새로 부상하는 나라의 두려움과 환상을 표현하려는 정치 문화적 장의 역할을 하였다. 비평가들은 이제 초기 미국의 글을 정치적 작품으로, 인종적, 성적 차이를 담아내려는 국가적 문제를 다루고 있으며 위기의 시대에 개인과 나라의 정체성을 규명하고자 하는 작품으로 읽기 시작하였다. (15)

그의 작품들은 이제 "18세기 미국 사회가 벌이는 논쟁에 진지하게 참여한 작가가 쓴, 그 시대의 중요 문제에 대해 복합적으로 사고한 것" (Chapman 14)으로 새롭게 해석되었다. 이런 면에서 살펴볼 때 브라운의 네 편의 장편 소설들은, 그의 생애에서나 미국의 문화적 발전이라는 면에서 진지한 소설 작업을 한 새로운 장을 시작한 개척자로서 하나의 거대한 족적이 되었고, 그 소설들이 지니는 심리적 위력과 강렬한 감정적 절박함은 다음 '19세기 미국 문학의 르네상스'의 주역이 된 호손과 멜빌 그리고 포와 같은 작가들에게 깊은 영향을 행사했으며, 미국 소설의 중요한 흐름을 열어주었다.

2

브라운은 주인공의 체험을 미국이라는 신생국가의 체험과 연결하고 있는데 『윌랜드』와 『오몬드』는 비정상적인 심리, 유동적인 정체성, 사회로부터 소외된, 스스로를 소외시킨 개인의 심각한 갈등을 다루며 『아서 멀빈』과 『에드거 헌틀리』는 이런 문제를 탐색하면서도 사회적인 맥락과 개인의 파편화를 좀 더 근접한 거리에서 다루고 있다. 이 모든 작품이 급진적인 변화가 진행되는 사회에서 작가가 겪은 갈등과 사투의 결과이다. 그러는 과정에서 이 젊은 작가는 맨 처음 자신이 의도했던 것보다 더 많이 사회와 자신에 관해 파악하게 되었다.

브라운의 소위 '사중주'라고 일컬어지는 네 편의 장편 가운데 처음 작품인 『윌랜드』는 한 가족의 이야기이다. 사회와 담을 쌓고 지내던 윌랜드 가족의 맹점이 그들을 비극적으로 추락하게 만드는 양상을 제시하면서 그 가족의 비극이 미국 사회의 문제와 연결되는 모습을 보여준다. 두 번째 작품 『오몬드』는 소피아Sophia Westwyn Courtland가 친구 컨스탠시어 Constantia Dudley의 장래 남편감에게 컨스탠시어에 관한 이야기를 전기 형식을 빌려 들려준다. 당시 미국의 수도였던 필라델피아를 배경으로 『오몬드』는 이주민과 사기꾼들 속에서 컨스탠시어가 아버지를 부양하고 오몬드라는 인물로 상징되는 폭력적인 외부 세력에 대항하여 자신을 지켜내려는 필사적인 노력을 보여주는 이야기이다. 세 번째 『아서 멀빈』은 황열병에 걸린 아서가 자기를 구해준 스티븐스 박사Dr. Stevens에게 자신이 겪은 이야기를 하고 있다. 아버지가 하녀와 결혼하자 아서는 필라델피아로 떠난다. 대도시에서 모든 것을 잃고 집으로 돌아가려는 그는 사기꾼을 만나게 되고 그의 정체를 알게 된 후 여러 우여곡절을 겪다가 아샤 필딩Asha Fielding과 결혼하여 영국으로 떠난다는 줄거리이다.

이처럼 『에드거 헌틀리』를 제외한 세 편의 줄거리를 대략이나마 살펴보는 것은, 이 네 소설이 거의 유기적으로 연결되어있기 때문이다. 브라운이 자신이 부딪친 모든 이념과 의문점들을 논의했던 장으로서 이 소설들은 공통된 주제를 다루고 있다. 흔히 『에드거 헌틀리』의 습작으로 간주되는 미완성 작품 「스카이워크」(“Skywalk”)의 부제인 “자기는 모르고 있던 사람”(The Man Unknown to Himself), 즉 잠재되어 있는 자신의 다른 면을 발견하게 되는 사람을 다루고 있다는 점과 주인공들이 선을 행하겠다는 의도에서 행동하지만 종국에는 자신이나 다른 이들을 죽음으로 몰아넣는 파괴적인 결과를 초래하는 이야기가 바로 그것이다.

앞의 세 편의 이야기가 선의, 아니면 자기기만에서 비롯되었건 결과적으로 끔찍한 일을 저지른 인물들은 죽고 그 와중에서 살아남은 인물들이 소설 결말에 미국에서 벗어나 유럽으로 떠나며 유럽에서 결혼하던가 아니면 결혼 가능성을 암시하는 것으로 끝을 맺는다면, 네 편의 장편 가운데 마지막을 장식하는 『에드거 헌틀리』는 앞의 세 작품과는 다르게 소설 제목과 동명인 주인공이 여러 가지 극한의 경험 가운데 살아남으며 이후에도 미국을 떠나지 않는다. 그리고 마지막에 그는 주위에 아무도 없이 미국에 혼자 남는다. 가드너Jared Gardner가 "미국 작가의 작품에 관한 비평 가운데 찰스 브록덴 브라운의 『에드거 헌틀리』에 관한 것만큼 일관된 것은 없다"(*AL* 432)고 했듯이, 이 소설은 "다른 이에게서 죄를 찾는 것으로 시작해 자신에게서 죄를 발견하는 것으로 끝을 맺는 젊은이를 다룬 이야기, 즉 성인의식initiation을 다룬 이야기"(157)로 읽는 피들러Fiddler의 최초 비평을 비롯해 기본적으로 미성숙에서 경험의 세계로 나아가는 젊은이의 성인의식을 다루고 있다고 평가되어왔다(Schulz 321). 이 소설이 많은 비평가들이 주장하는 것처럼 주인공의 성인의식을 다루고 있다면 에드거 헌틀리가 브라운의 다른 소설 주인공들과는 다르게 죽임을 당하지 않고 또 다른 나라로 떠나지도 않으며 미국에 살아남는 결말은, 그의 성인의식이 성공한 것으로 해석할 수도 있지만, 헌틀리가 모험을 하면서 보여주는 잔인한 살육행위와 그 경험 뒤에도 성숙하게 변화하지 않는 그의 행동으로 판단하자면 그의 성인의식이 성공적이었다고 받아들이기 어렵다. 소설 서문에서 작가 자신이 밝히고 있듯이 고딕소설 양식을 차용하고 있는 이 작품은 성인의식을 다루는 탐색 이야기quest romance 양식을 취하고 있으면서도 그것을 전복시키고 있는 것이다. "금기가 파괴되고 비밀이 밝혀지며 장벽이 무너지는"(Crow 1) 고딕소설답게 이 소설에서 우리는 선과 악이 혼재하고 판단을 유보하고 영웅과 악한의 경계를 지우는 특성을 발견하게 된다.

이 소설의 이 같은 결말에서 우리는 브라운이 탐색 이야기 양식의 전복을 통해 무엇을 이야기하고 있는지, 또 앞의 세 소설 주인공들과는 다르게 마지막 작품의 주인공을 유럽으로 떠나보내지 않은 이유는 무엇이며, 또 미국인으로 살아남는 것은 무엇을 의미하고 그들은 어떠한 대가를 치르게 되는가와 같은 의문을 갖게 된다. 이 글은 『에드거 헌틀리』를 중심으로 미국인들이 신생 국가의 국민으로 뿌리내리는 과정에서 겪은 갈등과 체험을 브라운은 어떻게 재현하고 있는지, 또 브라운의 개인적인 체험에서 이 소설은 어떤 의미를 시사했는지를 찾아보고자 한다.

3

이 소설은 겉으로 보기에는 탐색 이야기의 양식을 따르고 있다(Schulz 324). 전통적인 탐색 이야기는 대체로 "떠남, 성인의식, 그리고 귀환"(Campbell 30)이라는 틀을 지니고 있는데, 주인공이 보물이나 귀한 인물을 찾아 긴 여행을 떠났다가 마침내는 그 물건을 손에 넣거나 자기가 구해준 처녀와 결혼하게 되는 행복한 결말로 끝맺는다. 주인공이 모험을 성공적으로 마침으로써 부패한 세계가 정화되고 다시 생명력을 얻은 주인공이 재생된 사회에 성공적으로 통합되는 것을 보여준다. 그러나 이 소설은 전통적인 탐색 이야기에서 벗어나 고딕소설 양식을 취하고 있다. 고딕소설은 탐색 과정에서 주인공의 사회적, 성적 역할이 완전히 해체되며 유산을 박탈당하고 최악의 경우에 감정적 마비나 죽음으로 결말을 맺는 경향이 있다. 『에드거 헌틀리』는 헌틀리의 탐색 과정에서 탐색의 주체인 그가 자기 내부의 주체할 수 없는 힘의 대상이 되어 역할이 전복됨으로써 전통적인 모험 이야기를 해체한다.

이야기 서두에서 주인공 헌틀리는 미궁으로 빠진 친구 왈데그레이브 Waldegrave의 살해 사건을 파헤치고자 한다. 처음에는 왈데그레이브가 살해된 장소를 파헤치고 있는 몽유병자 클리테로Clithero Edny를 범인으로 의심하였으나, 그는 이 사건과 무관한 것으로 밝혀진다. 하지만 클리테로는 그에게 자기가 미국에 오기 전 아일랜드에서 자신을 어머니처럼 돌봐준 후견인 로리머 부인Mrs. Euphemera Lorimer과 그녀의 쌍둥이 오빠 와이어트 Wiatte를 살해한 사건을 고백한다. 그 이야기를 듣고 난 헌틀리는 친구 왈데그레이브의 살해사건을 잊어버리고 클리테로라는 기이하고 알 수 없는 인물에 매료당한다. 죄의식에 사로잡힌 클리테로가 문명 세계를 등지겠다는 생각으로 노워크Norwalk의 동굴로 사라졌을 때, 헌틀리는 그를 구하겠다는 일념으로 노워크로 출발한다. 그러는 동안 헌틀리 자신이 몽유병자가 되어간다. 어둡고 깊은 동굴에 있는 자신을 발견한 그는 갈증과 배고픔, 암흑 속에 휩싸여 팬더panther와 일단의 인디언들을 살해하고 갖은 고초를 겪은 뒤 백인 정착촌으로 귀환한다. 마을로 돌아온 뒤 헌틀리는 여전히 우울증에 시달리는 클리테로를 살리기 위해 또 한 번의 시도를 한다. 그가 클리테로에게 로리머 부인이 죽지 않았고 지금 자기의 스승 사스필드Sarsfield의 부인이 되어 뉴욕에 살고 있다는 사실을 알려주자, 클리테로는 사스필드 부인을 죽이려고 가는 길에 붙잡혀 그 와중에 강에 뛰어들어 자살한다. 그리고 소설 말미에 왈데그레이브는 인디언에 의해 살해되었다는 것이 밝혀진다.

이런 간단한 줄거리는 이 소설이 적어도 서로 다른 목표를 가진 세 가지 탐색을 하고 있음을 보여준다. 친구 왈데그레이브의 살해범을 찾고자 하는 것, 클리테로를 찾아 나서는 것, 그리고 인디언들과의 모험이 그것이다. 겉으로 보기에 느슨하게 연결된 이 플롯은 주인공의 좀 더 깊은 미스터리를 향해가는 "여정"과 연결됨으로써 일관성이 유지된다. 이 세 이야기들은 내부의 움직임에 의해 서로 연결되는데, 그 움직임이란 주인공의 비이성적이고 공격적인 어두운 자아가 서서히 풀려나는 과정이다. 작가는 그의 소설을 하나로 묶는 원리로서 주인공의 감추어졌던 어두운 자아의 부상을 그리는 것이다. 그 어두운 자아와 헌틀리가 하는 여러 가지 모험은 헌틀리의 마음 내부에서 갈등을 일으키는 힘들을 극화한다. 어두운 자아는 첫째 화자이자 주인공의 내적인 갈등을, 둘째 헌틀리의 분신alter ego으로서의 클리테로의 위치를 분명히 드러낸다.19)

왈데그레이브의 살인범을 찾겠다고 다짐하는 헌틀리의 이야기 초입부터 이미 전통적인 의미의 탐정 이야기는 존재하지 않는다. 한 사람을 범인으로 지목하여 다른 이들을 마음의 죄로부터 해방시켜주지 않는 이 작품은, 반대로 탐정이 바로 범인일지도 모른다는 암시를 강하게 함으로써 인습적인 탐정소설 역시 전복한다. 무엇보다도 그가 왈데그레이브의 살해범을 찾고자 하는 이유에서부터 계속 앞뒤가 맞지 않는다. 클리테로를 만난 뒤 주인공은 정신 분열증에 가까운 심각한 내적 갈등을 겪는데, 그가 왜 이렇게 변하는가에 대한 까닭에 대해서는 그의 외적인 행동으로는 설명이 되지 않는다. 헌틀리가 클리테로를 추격하여 그의 죄를 자백시키겠다고 결정했을 때, 그는 반은 "복수의 충동"에서 그리고 반은 호기심에서 그런다고 느낀다. 처음에 그는 주저하였지만 클리테로를 추격하기로 결심한다. 그는 "호기심은 미덕과 같이 그 자체로 보상이 된다. 지식은 그 자체를 위해 가치가 있다"(652)고 자기 행동을 변명한다.

이러한 헌틀리의 행동은 자신의 저항할 수 없는 충동을 편리하게 정

---

19) 이 점에 대해서는 거의 모든 비평가들이 지적하고 있다(피들러Fiddler 156-57, 린지Ringe 77, 클리먼Cleman 210-11, 하인즈Hinds 334). 한편 버나드Bernard와 클라우스Klause와 같은 비평가들은 헌틀리를 '믿을 수 없는 화자'unreliable narrator라고 하면서 클리테로는 헌틀리의 환상이 만들어낸 인물이라고 주장한다(Bernard 35, Klause 322).

당화한 것이다. 이 합리화는 의무나 지식, 선의 같은 보편적으로 인정된 가치 아래 숨겨진 본래의 무의식적인 충동을 은폐한다. 그런데 자기 행동을 합리화하는 헌틀리의 노력이 의심스러운 것은 친구의 살해자를 찾겠다는 그의 계획은 실은 어떤 정당화도 필요하지 않은 자연스러운 상황이라는 점이다. 이 합리화는 주인공의 "주체할 수 없는 호기심"이 실은 친구의 살인 사건이 아닌 다른 것으로 인해 발동했음을 암시한다.

왈데그레이브의 살해범을 잡겠다는 "탐정 이야기"는 예상치 못한 클리테로의 고백으로 갑자기 끝이 난다. 헌틀리는 자기가 엉뚱한 길에 들어섰다는 것을 깨닫지만, 다른 방향에서 살인자의 탐색을 시작하는 대신 클리테로를 새로운 탐색 대상으로 삼는다. 그는 클리테로가 누구인지 알기도 전에 강하게 끌린다. 헌틀리는 몽유병에 걸려 수면 상태에서 걸어 다니는 초췌하고 끔찍한 몰골의, 친구의 살인자로 의심되는 자에게 강한 동정심을 느낀다. 그는 "애정 어린 동정"을 느끼고 클리테로에게서 친구를 살해했다는 자백을 듣기를 기대하면서 "아버지와 같은 자비를 베풀어 이 불행한 사나이를 순수하고 평화로운 상태로 회복시키겠다고 계획한다" (668).

헌틀리가 클리테로에게 품는 이런 감정은 클리테로가 그의 분신 역할을 한다는 점에서 보면 놀라운 일은 아니다. 많은 비평가들의 지적처럼, 이 두 사람은 여러 면에서 비슷하다. 헌틀리와 클리테로의 삶의 궤적은 여러 면에서 서로의 거울 역할을 한다. 두 사람 모두 다른 이의 목숨을 빼앗고, 그 살인 행동이 또 다른 사람을 살해하겠다는 생각을 하게 만들고, 결과적으로는 재난을 야기하게 된 선의에서 비롯된 생각을 품고 있으며, 숨겨 놓은 편지를 지니고 있고 둘 다 비슷한 광기를 나타내는 몽유병을 지니고 있다. 사스필드가 로리머 부인과 결혼함으로써 결과적으로 헌틀리와 클리테로는 의형제와 같은 사이가 된다. 클리테로는 자신의 어두운 자아를 깨닫게 되어 당황해하는 헌틀리의 곤경을 객관화하여, 보다 선명하게 보여 주는 인물이다. 선의에 의해 행동하려 한 사람인 동시에 "악마의 부추김과 악의적인 수수께끼 같은 운명이 나를 놀림감과 희생자로 만든 것"(711)이라고 느끼는 사람의 모습을 헌틀리에 앞서 보여주는 것이다. 헌틀리의 도플갱어라는 클리테로의 역할은 헌틀리 역시 몽유병자로 변했을 때 더 강조된다.

헌틀리는 클리테로를 절망과 자살에서 구하겠다는 좋은 의도에서 황야의 동굴에까지 따라갔었다. 의식의 차원에서 보자면 클리테로를 따라간 헌틀리의 행동은 왈데그레이브의 살인자를 찾아내겠다는 원래의 의도에서 완전히 벗어난 것이다. 헌틀리는 친구의 죽음은 다 잊어버린 것처럼 보이나, 좀 더 깊은 차원에서 본다면 클리테로를 구하겠다는 헌틀리의 시도는 자신의 내면과 좀 더 긴밀하게 연결된 행동이다. 만약 그가 클리테로에게서 객관화된 자신의 내적 자아를 감지했다면 클리테로를 찾아 나서는 것은 헌틀리가 자신의 숨겨진 또 다른 자아에 매료된 데에서 비롯된 것이다. 그 어두운 자아는 왈데그레이브의 살인을 조사하고자 하는 그의 행동을 제지한다. 그래서 그가 클리테로를 찾아 나서는 두 번째 탐색은 자신의 의식을 괴롭히는 또 다른 자아에 다가가는 것을 의미한다.

왈데그레이브의 살인범을 추적하는 것과 클리테로를 찾아 나서는 탐색 사이의 긴밀한 관계는 헌틀리가 클리테로에 매료되어 왈데그레이브의 살해범을 추적하는 것을 그만두었으나, 왈데그레이브는 여전히 헌틀리의 마음에 도덕적인 요소로 존재한다는 사실에 의해 또 한 번 확인된다. 탐색 이야기라는 장르는 보통 양측의 싸움, 즉 선과 악, 친구와 적 등의 싸움이 등장한다. 19세기 문학에서 가장 흔한 갈등은 호손의 문학이 보여주듯이 '빛의 여성'과 '어둠의 여성' 사이의 대립이다(Auden 44). 이 소설에서는 모험의 갈등이 왈데그레이브와 클리테로 간의 투쟁으로 나타난다. 이 두 사람은 주인공의 마음에 존재하는 갈등을 일으키는 요소들이다. 헌틀리가 원래의 탐색에서 멀어져 어두운 자아의 비밀을 상징하는 클리테로에게 몰두하게 되면서 왈데그레이브는 헌틀리의 충성심을 요구하기 위해 그의 꿈에 나타난다. 친구가 "반쯤 화가 난 모습"(753)으로 나타나자 헌틀리는 친구에 대해 "봉사와 의무를 행해야 했으나 죄스럽게도 그것을 무시해왔다"(753)고 변명한다. 왈데그레이브는 예전에 유물론적인 이론을 신봉하다가 전통적인 종교로 돌아섰었다. 그의 살인자를 찾으면서 헌틀리는 양심과 우정과 의무가 요구하는 임무를 자신에게 부과한다. 다른 말로 하자면 왈데그레이브는 클리테로를 둘러싼 도덕적 모호함이라는 어둠에 맞서는 "빛"이라고 할 수 있다. 헌틀리는 자신의 꿈에 나타난 왈데그레이브를 유물론적인 사상을 피력한 그의 편지를 없애라고 했던 생존 시 부탁을 자신이 이행치 않은 것에 대해 화를 낸 것으로 받아들인다. 그러나 그 꿈을 좀 더 넓은 의미에서 해석해보자면, 클리테로에게 쏟는 헌틀리의 관심은 왈데그레이브에 대한 불충한 행동을 암시하는 듯하다. 왈데그레이브의 꿈을 꾸고 있는 동안 헌틀리는 처음으로 수면 상태에서 걷는 몽유병적인 행동을 시작한다. 어두운 자아가 압도하는 헌틀리의 꿈에 나타난 왈데그레이브는 자기가 이미 상실한 도덕적인 위치를 주장한 것이라고 할 수 있다.

수면 상태에서 걷는 몽유병 증세가 나타나기 시작하는 이 지점에서 헌틀리의 탐색은 완전히 방향을 전환한다. 처음에 어두운 자아는 의식적이고 도덕적으로 정당화된 계획을 방해하는 세력으로, 주인공의 의식을 어지럽히는 요소로서 나타난다. 그것은 클리테로라는 인물로 객관화되기는 하였으나 여전히 헌틀리의 도덕적인 동기에 의해 통제된다. 하지만 헌틀리의 몽유병이 나타나는 지점은 이성과 도덕의 제어가 무너지면서 어두운 자아가 완전하게 압도하게 되는 지점이다. 그의 탐색이 충동적이 됨으로써 전통적인 의미의 탐색은 전복된다. 이런 관점에서 본다면 이 소설은 체이스Richard Chase가 주장한 클리테로의 이야기인 전반부와 황야에서의 헌틀리의 모험으로 이루어진 후반부 "두 부분이 느슨하게 연결된 이야기"(35)가 아니다. 헌틀리가 동굴에서 겪는 모험은 사회의 도덕률이 정지된 곳에서 어두운 자아가 해방된 것을 보여준다. 동굴 구덩이에서 깨어난 이후에도 헌틀리가 계속 충동적인 행동을 통제하지 못한다는 의미에서 그는 계속 수면 상태에서 움직이는 사람이라고 할 수 있다. 죽임을 당할 수 있는 위험에 직면해서 처음에는 암시만 되었던 "피비린내 나는 결심"과 "복수심에 찬 충동"에 그는 완전히 압도당한다. 헌틀리는 "평상시에 나의 행동을 지배한 영혼에 의해 움직인 것은 아니었다. 최근에 일어난 전대미문의 사건들로부터 복수심에 가득 찬 무자비하고 격렬한 정신을 들여 마셨다"(808)고 털어놓는다. 팬더와의 사투에서부터 마지막 다섯 번째 인디언을 살육하는 행동에 이르기까지 헌틀리의 끔찍한 행동은 점점 더 강도 있게 제시된다. 잔인한 인디언과 위험한 야생 동물과의 대면은 이 사회에서 그가 생존하기 위한 투쟁을 극단적으로 보여주는 것이기도 하다.

헌틀리가 처음 클리테로를 따라 황야로 간 뒤 그가 어디론가 사라졌을 때, 사라진 그를 새벽까지 기다리는 동안 팬더 소리를 듣는데, 이는 인간의 목소리가 짐승의 울부짖음으로 변하는 것을 상징하며 또한 동굴에서 일어나는 헌틀리의 변모를 예시하는 것이기도 하다. 이 여행에 '영혼이 묻혀있다'는 의미인 소울베리Solebury 황야를 관통해 지나가는 위험과 어려움이 잠재해 있음을 암시한다. 클리테로를 따라간 노워크의 동굴에서 그가 겪는 위험한 모험의 성격이 좀 더 분명히 제시된다. 헌틀리는 동굴이 있는 절벽을 이어주는 다리가 계곡으로 떨어져 꼼짝도 할 수 없는 상황에서 팬더가 나타나는데, 이런 불가피한 치명적인 상황은 자기 인식을 추구하는 인간으로서 헌틀리가 부딪치는 위험의 상징이다. 탐색을 되돌릴 수도, 취소할 수도 없는 장소에서 대면할 수밖에 없는 목숨이 위험한 형편은 그가 어두운 동굴에서 깨어나 그곳을 벗어나기 위해 탐색을 할 때 다시 한번 발생한다. 일단 시작한 탐색을 돌이킬 수 없다는 점은 헌틀리가 모험을 하는 동안 계속 강조된다. 클리테로와 인디언 그리고 팬더는 헌틀리의 비이성적인 잔인한 본성을 밖으로 표출하는 상징들이다. 헌틀리가 팬더를 죽인 다음 그 피와 살을 먹었을 때 그것의 의미는 동물적 자아와 동일해진 것을 뜻한다(Hinds 334). 헌틀리의 다음 행동은 그가 살인자로 점차 변해 가는 것을 보여준다.

> 나는 내 팔에서 살점을 베어 물고 싶은 강한 욕망을 느꼈다. 내 마음은 잔인함으로 넘쳤고 살아있는 짐승을 갈기갈기 찢고, 그 피를 마시며 치아 사이로 그 떨리는 살점을 씹는 데서 경험하게 되는 환희에 대해 생각했다. (783)

그런데 헌틀리가 동굴에서 만난 인디언에게 생포된 백인 처녀를 구해주는 사건은 잠시 이 소설이 인습적인 모험 이야기에 충실한 듯한 착각을 하게 만든다. 위험에 처한 처녀를 구해주는 모티프는 기사도 로맨스나 영웅 로맨스에 흔히 나오는 진부한 이야기이다. 사악한 마술사나 거인으로부터 곤경에 빠진 처녀를 구해내는 것은 주인공의 용맹만이 아니라, 도덕적 가치를 증명함으로써 그의 탐색이 윤리적인 의미를 지니게 된다. 하지만 이 소설에서 헌틀리가 인디언에게 생포된 백인 처녀를 구해주는 이 에피소드는 플롯 상에서 별 의미가 없다. 위험에 처한 처녀를 구해주는 모티프를 소개해놓고 그것을 발전시키지 않은 것은, 흔히 브라운 소설의 기교적인 단점으로 지적되는 주요 플롯과 유기적으로 연결되지 않고 사라지는 부수적인 에피소드에 지나지 않은 것으로 간주할 수도 있으나, 그것보다는 브라운이 이 에피소드를 이용해 의식적으로나 무의식적으로 전통적인 탐색 로맨스로부터 거리 두기를 강조한 것으로 보인다. 작가는 이 일화를 통해 헌틀리의 탐색에 도덕적인 의미를 부여하기보다는 그것이 도덕적인 면에서 얼마나 무의미한가를 드러내는 것이다.

헌틀리의 모험에서 중요한 것은 정신적이고 도덕적인 의미가 아닌 육체적인 완력과 공격성, 무기를 다루는 기술, 그리고 생존의 의지이다. 이런 것들은 도덕적인 고결함의 테스트가 아니라 순전히 물리적인 우주에서의 힘과 의지력의 시련이다. 이는 "사람을 움직이는 새로운 원동력을 지닌 개방적인 공화국의 이면에는 폭력이 난무하며 모든 사람의 마음에는 짐승 같은 심장이 뛰고 있다"(Watts 120)는 것을 암시한다. 언제 폭발할지 모르는 불안정한 인간 클리테로와 헌틀리의 만남이나 동굴에서 일어난 팬더와의 사투, 그리고 헌틀리의 인디언 살육은 행동 동기의 맨 밑바닥을, 인간 의식의 가장 내밀한 곳을 탐색하는 과정이라고 할 수 있다. 헌틀리가 하는 모험은 외적이고 지리적인 것이면서 동시에 내면적이고 심리적인 것이다. 그가 처한 야생의 자연환경은 인간의 얽혀있는 복잡한 내면, 즉 미국이라는 신생 공화국이 공공연하게 기치로 내건 이성적인 개인주의 뒤에 감추어진 이면을 상징한다. 자연과 인간 심리의 유사성[20]은 그가 동굴에서 깨어났을 때 다시 확인된다.

---

20) 브라운은 노워크에서의 헌틀리의 모험에 신화적이고 심리적 상징의 의미를 부여한다. 노워크의 동굴은 원초적이며 꿈속의 광경이고 심리가 투사되었다고 할 수 있다(Fiddler 160).

동굴에서 빠져나온 헌틀리가 부딪치는 인디언들과의 처절한 싸움은, 신화적인 탐색 이야기에서는 영웅이 겪는 "최고의 시련"이고 죽음의 세계로 내려가는 것을 의미한다. 린지Donald Ringe는 헌틀리가 여러 번의 상징적 죽임을 당한다고 말한다(78). 노워크 절벽의 묘사는 죽음과 불모의 이미지가 가득하다. 이 이야기에 팽배해 있는 방향 감각의 상실은 계속 반복되는 미로의 이미지로 강조된다. 노워크의 적대적인 황야에서 빛과 문명의 안전한 세계로 되돌아가기 위해 싸운 주인공이 다시 백인 정착촌으로 돌아가는 행로는, 목숨을 걸었던 위험한 모험이 끝난 뒤 공동체에 성공적으로 진입하는 전통적인 탐색 이야기의 패턴을 따르고 있는 듯이 보인다. 어느 의미에서는 헌틀리가 정상적이고 올바른 문명 세계로 환원하는 것으로 말할 수도 있으나, 이 성인의식이 지니는 의미는 그리 단순하지 않다. 헌틀리가 황야에서 백인들의 문명으로 가까이 다가갈수록 우리는 문명인이 저지르는 야만성을 목격하게 된다. 헌틀리는 피가 튀는 살인을 저지른 뒤에 "그런 행동은 사악한 본성이 수천 명의 이성적인 인간으로 하여금 저지르게 만들고 목격하게 하는 행동"(816)이라고 털어놓는다. 헌틀리는 탐색 과정에서 이전에 그가 인식하지 못했던 내면의 자아를 깨닫는다. 지금까지 그가 믿었던 삶의 원칙에 반하여 살인 능력이 점점 증대되면서 자신에 관해 파악하게 되고, 그 과정에서 그는 자신에게 모욕감을 느낀다.

> 인간의 상태는 비참하고 모욕적이다. 자기 자신의 손으로, 자기의 발자국이 영원히 간여하게 되는 많은 비참함과 실수를 만들어낸다. … 인간은 서로의 행동과 동기에 관해 얼마나 인식하지 못하는가! 우리 자신의 행동에 관해 우리가 얼마나 완벽하게 모르는가! (883-84)

클리먼John Cleman이 주장하듯 헌틀리는 인디언을 차례로 살해하면서 변화한다(208-10). 어쩔 수 없는 자기를 위한 방어나 다른 이의 안전을 위한다는 동기에도 불구하고 헌틀리의 살인이 정당한 것만은 아니다. 그의 살해 행위는 점점 더 잔인해지며 판단력이 사라지고 어느 지점을 지나면 더 이상 자기방어라고 할 수가 없다. 동굴을 벗어나면서 저지르는 헌틀리의 첫 번째 살인은 어쩔 수 없다지만 인디언 여인 퀸 맵Queen Mab의 오두막에서 부딪친 세 명의 인디언을 살해하는 과정에서 점차 그의 행동은 유혈이 낭자해지고 살인의 당위성은 점점 더 희미해지며 실질적인 대안과 거리가 멀다(Cleman 209). 여태까지의 살인은 어느 의미에서는 아직까지 자기 방어적이라고 할 수 있다. 하지만 인디언을 죽이는 과정에서 헌틀리는 오래전에 인디언의 손에 죽은 자기 부모와 어린 여동생을 기억해내며 복수를 중요한 행동 동기로 삼는다. 인디언이 지니고 있는 삼촌의 총을 보고 삼촌과 남은 여동생들마저도 모두 그들의 손에 몰살된 것으로 오해하면서 격렬한 복수심에 불타게 된다. 그는 자기가 저지른 살육을 목격하고는 이렇게 심정을 털어놓는다.

> 내가 인디언들을 죽인 장본인이었다. 대량 학살과 피가 낭자한 장면이 내가 저지른 것이었다. … 나의 번민은 놀라움과 섞여 들어갔다. … 내가 겪은 변화는 굉장하고 설명할 수 없다. 동굴 바닥에서 탈출한 이래로 내가 목격한 모든 것은 내 생각이 착란으로 혼란스러워졌다는 것을 여전히 떨치지 못할 정도로 그 전의 사건들과 위배되었다. (809)

그가 마지막으로 살해하는 다섯 번째 인디언의 경우는 그가 변했다는 것을 더욱 분명하게 보여준다. 처음 총을 쏘아서 인디언을 죽이지 못하자 헌틀리는 다시 돌아와 두 번째 총을 쏘고, 또 실패하자 단도로 찌른다. 그는 "이미 굴복해 무력해진 적을 공격해 난도질하는 것은 혐오스러운 행동"이라고 괴로워하며 인디언의 주검 곁에 총을 꽂아두고 떠나는데, 이는 포획한 전리품에 대한 교활한 연민이라고 할 수 있다. 이런 의도적인 안락사는 클리테로가 자기가 저지른 행동에 대해 합리화했던 것과 똑같은 살인의 잔인한 흔적이다. 헌틀리가 저지른 다섯 번째 인디언의 도륙은 타인의 피로 자신을 얼룩지게 했을 뿐 아니라, 본인의 악한 본성에 스스로 제압당한 것이다. 헌틀리와 백인사회의 야만성은 백인들이 상상하는 인디언의 야만성에 못지않다.

헌틀리가 마을로 귀환한 뒤 잠깐 동안 고요한 시간이 있다. 자기의 모험이 성공했다는 만족감을 느끼며 "내 마음이 무대였던 무자비한 열기" (861)가 가라앉은 기간이다. 왈데그레이브의 살해자는 인디언으로 밝혀지고 클리테로는 헌틀리의 설득에 자살을 포기할 것을 약속한다. 이제는 헌틀리가 개입했던 대부분의 실수는 바로 잡힌 듯이 보인다. 무엇보다도 그가 살해의 충동에서 벗어난다. 그러나 그런 평화의 순간은 오래가지 못한다. 그는 사스필드의 만류에도 불구하고 클리테로에게 사스필드 부인의 소재를 알려줘 클리테로를 구하기 위한 시도를 재개한다. 그러나 그 결과는 참담하다. 좋은 의도에서 했던 헌틀리의 행동이, 종국에는 클리테로를 자살하게 만들고 사스필드 부인은 클리테로가 자기를 찾아올 거라는 편지를 읽고 충격으로 유산한다. 헌틀리는 본래의 선한 본심을 주장해보지만 사스필드는 "너는 나의 충고와 정반대로, 분명히 적절한 행동에 상반되게 움직였다"(897)고 그의 성급함을 책하며 이별을 고한다. 이 소설의 마지막에 헌틀리는 모든 이들로부터 멀리 떨어져 혼자 남아있다.

이는 이 주인공이 전통적인 탐색 이야기가 말하는, 모험을 끝낸 뒤

기존 사회에 성공적으로 통합되지 못했다는 것을 보여준다. 이는 헌틀리가 소설 서두에서 자기 인식에 이른 듯한 말을 했었던 것을 되돌아보면 아이로니컬하다. 헌틀리는 "나와 인류의 무지에 어떠한 빛이 비추었나! 불확실함에서 지식으로 나아간다는 것은 얼마나 갑작스럽고 거대한 움직임인가!"(644)라고 했었다. 이런 헌틀리의 말은 피상적인 차원에서 보면 왈데그레이브의 살인사건을 해결하고자 한 그의 의도를 드러내는 것일 수도 있으나, 조금 더 깊이 들여다보면 헌틀리 자신의 결점과 신생 미국의 자기중심적 성향, 더 나아가서 모든 인간이 지니는 보편적인 맹목성을 점점 더 의식하는 것으로 보인다. 이 맹목성은 몽유병이라는 형태로 분명하게 제시된다. "인간의 감정에서 가장 흔하고 놀라운 질병 가운데 하나"인 몽유병은 인간 조건의 상징으로 확대된다.

린지는 헌틀리의 말을 있는 그대로 받아들이고 "이 소설은 헌틀리가 자기인식으로 깨어나는 과정을 세세하게 기록하고 있다"(79)고 하지만, 실질적으로 이 소설 마지막에 일어나는 사건들은 헌틀리가 자기에 대한 이해와 인식에 도달했다는 주장을 거짓으로 만든다. 앞서 이야기한 것처럼 헌틀리의 관심 때문에 결국 클리테로는 광기의 발작으로 죽음에 이르게 된다. 클리테로가 처음부터 끝까지 제정신이 아니었는지 아니면 헌틀리가 이성적인 노력을 기울여 클리테로를 우울증에서 구해낼 수 있다고 자신할 수 있었는지는 중요하지 않다. 주목할 점은 헌틀리가 린지의 지적처럼 노워크에서 죽음과 같은 경험을 여러 번 했음에도 불구하고, 그 체험을 하기 전과 같은 태도를, 예전처럼 "의무와 선의"에 순진하게 기대는 듯한 태도를 견지한다는 점이다. 인디언들의 살육과정을 통해 보여준 충동적이고 본능적인 어두운 자아는 헌틀리가 자신과 세계에 대해 가지는 인식과 별개인 채로 남아 있고 새로 발견한 어두운 자아는 여전히 헌틀리에게는 "알려지지 않은 사람"으로 남아있다. 이 소설은 피들러나 린지가 주장하는 것처럼 성장소설도 아니고 성인의식을 다룬 이야기도 아니다. 이 소설은 헌틀리의 의식과 행동이 거의 완전하게 해체되는 과정을 보여준다. 여기에서는 모험이 내적 세계와 외적 세계를 이어주는 촉매로서의 전통적인 역할을 하지 않는다. 팬더와 인디언과의 사투는 도덕적인 진공 상태에서 발생한다. 이러한 경험에서 드러나는 어두운 진실, 공격적인 자아는 주인공의 의식 표면 위로 거의 떠오르지 않고 그를 변화시키는 체험의 산물이 되지 않는다.

그러나 이와 같은 주인공의 행동과 의식 사이의 괴리를 작가의 예술적인 능력이 부족하기 때문이라고 판단하는 것은 잘못이다. 이런 헌틀리의 행동이 암시하는 바는 행동과 의식의 괴리가 그의 생존에 필요한 것일지도 모른다는 점이다. 이는 『윌랜드』의 클라라Clara Wieland가 오빠 테오도르 윌랜드Theodore Wieland에게 그가 저지른 살인행위를 알려주려 하자 그들의 삼촌이 너무나 참혹한 진실은 사람을 죽음으로 몰아갈 수 있다고 하면서 만류하던 것을 상기한다. 결국 윌랜드는 자신이 했던 모든 행동을 깨닫는 순간 자살을 택한다. 『에드거 헌틀리』에서도 헌틀리가 자신에 관해 완전히 깨닫는 것은 파국을 불러올 수도 있다. 마을로 돌아온 헌틀리는 마치 동굴에서 깨어난 이후 겪었던 모든 체험이 자신에게 일어나지 않았던 것처럼 행동한다. 왜냐면 어두운 자아를 상징하는 동굴과 황야에서의 체험은 당시 미국인들이 공적으로 표방하는 정상적인 깨어있는 세계와 양립할 수 없기 때문이다. 헌틀리의 세계에서 내적 자아는 문명화 과정과 본질적으로 적대적이다. 헌틀리가 노워크 황야에서 보여준 것처럼 그의 또 다른 자아는 살인자이다. 천재적인 솜씨로 브라운은 이 점을 클리테로의 운명으로 분명하게 보여준다. 클리테로는 결국 헌틀리의 분신이라는 것을 재확인하였다. 클리테로라는 헌틀리의 어두운 자아는 사회의 위협이며 살인자로 증명되었고, 그가 만약 물에 빠져 죽지 않았다면 정신병원에 일생 동안 감금되어야 했다.

여기서 우리는 브라운이 클리테로가 이야기하는 부분에 그렇게 많은 지면을 할애한 이유를 짐작하게 된다. 그렇다면 왈데그레이브의 죽음은 헌틀리의 모험과 무슨 관계가 있는가? 버나드는 헌틀리를 "왈데그레이브의 진짜 혹은 상상의 살해자"(32)라고 결론 내린다. 버나드는 헌틀리가 왈데그레이브와 급진적인 내용이 담긴 그의 편지에 관해 논쟁하다가 친구를 살해했을 거라고 추정하는데, 왓츠는 그보다 더 다급한 동기 즉 임신한 것으로 추측되는 약혼자 메리Mary Waldegrave와 결혼해야 하는 금전적인 동기로 그런 행동을 했을 것이라고 짐작한다(Watts 132). 헌틀리의 행동에 대한 동기가 무엇이었든지 간에 브라운이 이 소설을 쓰면서 그런 설정을 마음에 두고 있었을 거라고 짐작되는 실제 이야기들이 있다.

이 소설의 소재가 되었던 사건은 1784년 6월 14일 비엔나 가제트Vienna Gazette에 실렸던, 사랑하는 사람에 의해 살해당하는 처녀에 관한 사건이다. "그 사건이 정말로 이상한 점은, 잠을 자고 있는 젊은이에 의해 그런 행동이 행해졌고 그 젊은이는 자기의 행동을 전혀 모르고 있었다는 점을 충분히 믿을 이유가 있다는 점이다. 젊은 처녀는 그의 애정의 대상이었다. 그녀가 했던 여행은 그가 그녀의 안전에 관해 극도로 걱정하게 만들었다"(Watts 133 재인용). 브라운은 미완성 원고 「몽유병」("Somnambulism")의 서문에 이 사건을 인용한다. 그 글은 헌틀리로 추정되는 몽유병을 앓는 화자를 살인자로 추정한다. 만약 브라운이 이 소설을 쓸 때 이 사건을 마음에 두었다면, 왈데그레이브의 살인자로 헌틀리를 만들 것을 생각했을 것이다. 버나드는 브라운이 처음에는 헌틀리를 왈데그레이브의 살인자로 염두에 두었지만 소설의 후반부에 인습적인 결말을 선택하였다고 주장한다. 버나드는 이 작품이 헌틀리가 자기 마음에 대해 승리하며 죄를 벗어던지고 정상적인 세계로 들어갈 준비가 된 것을 보여주는 승리의 기록이라고 한다(Bernard 120). 그런데 그 정상적인 세계라는 것이 실질적인 위협, 즉 인디언과 치르는 일단의 모험으로 나타난다. 이는 헌틀리가 저지른 행동과 헌틀리가 소위 백인들의 "정상적인 사회"로 돌아오면서 만나는 사람들, 즉 부인과 아이를 구타하여 집에서 내쫓는 술주정뱅이 셀비Selby나 부상이 심각한 클리테로의 치료를 거부한 의사 사스필드와 같은 백인들의 잔인함을 간과하는 것이며, 황야에서 팬더를 죽이는 것과 똑같은 마음으로 아무런 거리낌 없이 인디언을 제거해가는 "문명화된" 미국 사회의 아이러니를 무시하는 것이다.

인디언에 대한 잔인한 살육행위뿐 아니라 또 하나의 중요한 의미를 지닌 사건이 발생하는데, 그것은 헌틀리가 사스필드를 향해 총을 쏘았다는 것이다. 브라운은 이를 감정적으로나 육체적으로 지친 그가 저지른 우발적인 사건이라고 이야기한다. 헌틀리가 사스필드를 인디언으로 착각하고 쏘았다는 것이다. 클라라 윌랜드가 미친 오빠로부터 자신을 방어하기 위해 오빠를 칼로 찌르는 것을 진지하게 고려했던 것처럼, 헌틀리가 사스필드를 쏜 것은 정황으로 봐서는 정당하지만 불길한 여운을 길게 남긴다. 다섯 명의 인디언을 죽인 그가 자기의 스승이자 실질적인 아버지와 같은 인물에게 총을 겨눈 것이다. 사스필드에게 총을 쏜 행동은 헌틀리가 살인자로 변화되었다는 것을 다시 한번 확인시켜준다. 그뿐 아니라 지각없고 통제되지 않는 그의 살인 행각이 아일랜드에서 클리테로가 그랬던 것처럼 대부와 같은 이를 죽일 뻔한 것이다. 헌틀리가 살인자로 변화되는 이 소설의 후반부는 폭력을 금기시했던 헌틀리의 원래 원칙은 무너지고 상황에 따라 잔인하고 무차별하게 죽일 수 있는 폭력 의지와 충동이 표면으로 떠오른 것을 보여준다. 점점 더 불온한 살인을 행하는 과정, 특히 사스필드의 목숨을 노린 혼돈스러운 행동은 헌틀리가 변화되는 드라마를 완성하고 헌틀리가 왈데그레이브를 살해했을지도 모른다는 암시를 함축하는 드라마와 연결된다. 우리는 여기에서 '하느님의 나라, 새로운 가나안'을 세운다는, 이성적인 공화국을 설립한다는 기치 아래 건국한 미국이라는 나라의 이면에 잠재되어있는 잔인함과 그 미국인들이 원주민인 아메리칸 인디언보다 더한 야만인이라는 점을 목격하게 된다.

4

브라운은 미국인으로 살아가는 것이 무엇을 의미하는지 충분히 알고 있었다. 그는 고딕소설 양식을 차용하여 주류 문화가 외면해온, 당시 미국인들이 들여다보기를 거부한 이면의 문제를 다루고 있다. 그는 반세기 뒤의 19세기 공적 역사가들이 긍지를 가지며 자랑스러워한 민주 공화국 미국의 국민이 사실은 그들이 동물과 동일시하면서 무참하게 제거해 나갔던 인디언의 야만성보다 더 잔인하고 비도덕적인 사람들임을 분명히 제시한다. 미국을 떠나지 않고 미국인으로 살아남는 것은 클리테로라는 인물로 표상되는, 모든 것이 혼란스러운 미국에서 살아남는 데 필요했던 모든 광기와 폭력성을 나타내는 미국인의 또 다른 이면 즉 자기들이 내면에 간직하고 있다는 사실을 인정하고 싶지 않은 내면의 자아를 외면하고 억압해 가두어야 한다는 것을 의미한다. 또 처녀지라고 상상한 곳에 이미 존재하고 있던 원주민들을 가차 없이 도륙해야 하는 것은 물론이고, 왈데그레이브와 같은 친구나 사스필드와 같은 스승에게도 총구를 겨눌 수 있어야 하며, 임신한 약혼자라 할지라도 상황이 여의치 않으면 언제든지 돌아설 수 있는 인간이어야 한다는 것이다. 그러한 과정에서 살아남은 주인공은 부모님과 어린 동생은 인디언에게 살해되고 남은 여동생들과 약혼자, 그리고 아버지 같은 인물을 포함한 모든 이들로부터 고립되어 혼자 남아있다. 헌틀리는 클리테로가 들려주는 이야기를 듣고 난 다음이나 동굴에서 겪었던 체험 후에도 성숙하게 변화된 모습을 보여주지 않는다. 그에게는 다시 행복해질 수도 있는 가능성을 시사하는 결혼의 암시도 없으며, 다만 혼란스러운 상태에 홀로 남아있다. 그의 이런 처지는 국제사회에서 미국의 상황을 상징하는 것이기도 하다.

악몽에 사로잡힌 헌틀리는 깨어날 수 없는 꿈을 꾸는 사람이다. 이 소설에는 『윌랜드』에서 이야기되었던 보편적인 타락이 다시 한번 다루어진다. 윌랜드와 오몬드의 야만성이 갑작스럽게 폭발하는 데 반해 『에드거 헌틀리』는 비이성적인 악이 풀려나는 것을 용의주도하게 서서히 보여준다. 이 소설은 『윌랜드』의 핵심에서 다시 이야기를 시작하는데 클라라의 형제 살해, 『오몬드』의 철학적인 딜레마를 탐색한다. 『오몬드』가 미덕은 자기 맹목성을 필요로 한다는 것을 암시한다면, 『에드거 헌틀리』는 반대로 스스로에 대해 깨우쳐가는 것은 억압되어 있던 악을 해방시킬 수도 있다는 것을 암시한다. 『오몬드』의 결말이 자선 행위가 악만큼 교활한 것이 아닌가 하는 질문을 일으킨다면, 이 소설은 그와 관련된 질문, 자기 자신을 안다는 것이 자기를 모르는 것만큼이나 불리한 일이 아닌가 하는 의문을 제기하게 한다. 『에드거 헌틀리』에서 개인과 국가의 상징은 눈을 감은 채 방향을 모르고 전진하는 불안정하고 도취된, 그러나 깨어나는 게 한없이 위험한 몽유병자이다. 헌틀리는 완전한 자기 이해에 도달하지 못하고 자기의 어두운 자아와 통합하는 데 실패한다. 그 통합이 그를 완전히 파괴할 수 있으며 자신에 관한 정직한 깨달음은 바로 파멸로 이어질 수도 있기 때문이다.

이런 여러 가지 문제에도 불구하고 브라운은 그의 다른 주인공들과는 다르게 『에드거 헌틀리』의 주인공을 죽음으로 내몰거나 유럽으로 보내지 않고 미국에 남게 만든다. 브라운은 완전한 자기 인식에 도달하지 못한 사람, 아니 그러한 인식을 거부한 자만이 미국 사회에서 살아갈 수 있다는 점을 알고 있었다. 그리고 작가는 그러한 실존적 상황을 더 이상 회피할 수 없고 그런 존재 방식을 그대로 받아들일 수밖에 없다는 사실을 깨닫고 인정한다. 브라운이 이 소설에서 미국의 생존 가능성을 묻는 것은 진보적인 시대의 생존 가능성과 이성과 인간의 본성에 관한 질문으로, 더 나아가서는 인간 존재에 관한 본질적인 질문으로 확장된다. 이러한 질문은 자기가 처해 있는 상황과 자기의 진정한 모습을 똑바로 대면하기를 거부하거나 감히 대면하지 못하는 모든 인간의 문제를 노정하고 있는 것이다. 브라운은 희생자와 악당의 구분을 유보하고 인물들이 겉으로 표명한 동기를 해체하며 역설적인 평행을 사용하여 우리 모두가 자신의 내적 자아에 눈 감고 있다는 점을, 그리고 미국의 청교도 조상들이 가르쳤던 것처럼 모든 인간이 타락했을지도 모른다는 가능성을 보여준다. 이러한 점이 『에드거 헌틀리』라는 소설 속 주인공 헌틀리의 성인의식은 실패했다 하더라도 작가 브라운은 인간 존재의 핵심에 자리 잡고 있는 문제를 이미 꿰뚫고 있었다는 점에서 자신의 성인의식을 성공적으로 치렀음을 보여준다. 이 소설에서 헌틀리의 성인의식은 전복, 해체되고 있으나 스물여덟 살의 작가는 이 주인공의 실패를 통해 보다 성숙한 인간 이해에 도달함으로써 자신의 성인의식을 마무리하고 있으며 정신적 성숙에 다가선 것으로 보인다.

『에드거 헌틀리』:
미국의 역사 만들기, 기억과 망각의 변증법

1. 들어가는 말

애쉬크로프트Bill Ashcroft는 미국이 "국민 문학을 발전시킨 첫 탈식민decolonizing 국가"라고 하면서 찰스 브록덴 브라운이, 미국 문학이 국민문학으로 정립하는 과정에서 기여한 바를 이렇게 지적하고 있다.

> 18세기 후반에 출현한 미국 문학의 독특성은 문학과 공간, 문학과 민족 간의 관계에 대하여 그리고 전통적인 문학형식의 정합성에 관하여 여러 가지 의문을 제기했다. … 고딕적이고 센티멘털한 영국의 소설 형식을 피식민지 특성에 어울리게 토착화하려 했던 찰스 브록덴 브라운 같은 작가는 공간적이고 문화적인 변화가 선행되지 않은 한 단순한 소설형식과 내용의 수입은 의미가 없는 것임을 깨닫고 있었다. (『포스트콜로니얼 이론』 32)

이는 초기 미국 소설에서 "가장 적극적인 문학의 독립을 주장한" (Berthold 127) 것으로 평가되는 『에드거 헌틀리』(*Edgar Huntly; or, Memoirs of a Sleep-Walker*)의 「서문」("The Preface")에서 브라운이 주장한 바와 연결된다. 그는 「서문」에서 유럽 고딕소설의 차용을 염두에 두면서 "우리나라에는 없는 유럽의 고성과 유령보다는 적대적인 인디언과 위험한 서부 황야가 우리나라에 더 어울리는"(641) 문학의 소재가 된다고 하면서 미국 문학은 유럽과 다른 특징을 지닐 수밖에 없다는 것을 토로하였다.

브라운은 이 「서문」에서 작가란 "우리나라의 여건에서 발생하는 일련의 모험으로 마음에 교훈을 주고자 하는 도덕적인 화가"(641)라고 이야기하면서 미국에서 작가의 공적인 책무를 중시하였다. 그는 『왈스타인의 역사 학교』(*Walstein's School of History*)에서도 "천재와 덕망 높은 자는 대중의 잘못과 악을 공격하고, 책이라는 매체로 공공의 선을 위해 일을 한다. … 작가의 비전은 사회적 도덕의 방향을 설정하고 창조하는 것" (151)이라고 작가의 공적 임무를 깊이 의식하고 있음을 보여준다. 이는 브라운이 "소설을 역사의 보완물로 생각했던 그의 사고와 상통한다" (Krause 4). 첫 장편소설 『윌랜드』를 완성한 뒤 당시 미국 대통령이었던 토마스 제퍼슨에게 『윌랜드』와 함께 동봉한 편지에서 그는 픽션의 장점을 "사회와 지성의 이론 … 정부의 운영과 자연의 움직임을 기록한 역사의 장점과 비교할 수 있다"(Davidson, "The Matter and Manner" 165)고 피력했듯이 브라운은 허구와 역사가 교차하는 문학에 매혹되었고 역사를 우회적으로 표현하는 전략에 익숙했다. 그가 문학에 전념하던 시기는 격렬하게 변화되는 사회 못지않게 그의 인생 시점에서 급진적인 전환기를 맞이했으며 그는 자신의 소설을 신생 미국 사회의 모든 문제를 복합적으로 조명할 수 있는 장으로 간주하였다.

1771년 필라델피아에서 태어난 브라운의 생애는 신생국 미국이 정체성을 형성해가는 시기와 거의 일치한다. 18세기 후반 당시 미국은 진보적인 사고와 보수적인 사상의 대립이 정점에 달했던 시기였으며 브라운의 고향 필라델피아는 미국의 정치와 문화의 중심지였다. 새로운 나라와 국민이 만들어지는 모든 사상의 소용돌이 속에 살았던 브라운은 국민문학을 형성하는 지도적인 작가가 되기에 적합한 시기와 장소에 위치해 있었던 것이다. 정치적 독립을 쟁취한 미국의 지성인들은 새로운 시대의 정치적이고 이념적인 질서를 식민지 역사와 연결해야 하는 거대한 작업에 당면하게 되었다. 자신들에 관한 역사를 새로 써야 했으며 고유의 정체성을 새롭게 설정해야 했던 신생 국가에게 독립이전 시대로부터는 무엇을 기억해야 하고 어떤 것은 지워야 하는가의 문제가 제기되었고 그 문제는 모든 면에서 영향력을 행사하였다.

『에드거 헌틀리』는 미국이 독립을 쟁취한 다음 자기 나라에 남아있는 구세계의 잔재를 지우고 순수한 미국 역사를 정립하려는 노력을 다루고 있다. 이 작품에 관한 비평은 넓게 두 그룹으로 나누어볼 수 있는데, 첫째는 에드거Edgar Huntly와 클리테로Clithro Edny의 관계에, 황야에서 겪는 에드거 개인의 성인의식이라는 주제에 집중한다(Fiddler, Schulz, Lewis)[21]. 대부분의 이러한 비평가들은 이 두 사람 이외의 인물들에게는 별로 주의를 기울이지 않는다. 두 번째 그룹은 열린 결말과 해결되지 않는 주제에

21) 피들러Fiddler는 이 소설을 다른 이에게서 죄를 찾는 것으로 시작해 자신에게서 죄를 발견하는 것으로 끝을 맺는 젊은이를 다룬 이야기, 즉 성인의식initiation을 다룬 이야기로 읽으며, 슐츠Schulz 역시 미성숙에서 경험의 세계로 나가는 젊은이의 성인의식을 다루고 있다고 주장한다. 루이스Lewis는 에드거를 '미국의 아담'American Adam으로 본다.

관한 것이다(Grabo, Davidson, Jordan). 이 소설의 역사적인 연관성은 많은 비평가들이 쓸모없고 잘못 삽입되어 있다고 생각한 "미친 듯이 정리되지 않은"(Fiddler 157) 상태에 자리 잡고 있다. 브라운 문학의 단점으로 흔히 지적되는 일관성 없는 구성, 갑자기 나타나서 주된 주제와 연결되지 않고 사라져버리는 부차적인 에피소드, 매끄럽지 못한 결말의 틈새에 이 소설이 미국 역사와 갖는 관련성이 존재한다. 『에드거 헌틀리』는 브라운의 다른 소설과는 달리 아메리카 식민지 건설 이래 당시 신생국의 당면 과제 가운데 하나였던 미국의 토착민, 즉 아메리칸 인디언들과 백인 정착민 간의 갈등이 이면에 자리 잡고 있다. 소위 '정착민 식민지'에서 가장 먼저 독립을 쟁취한 미국은 영국으로부터 주권을 쟁취한 나라이면서 동시에 토착민인 아메리칸 인디언들을 식민화하는 식민 국가였던 것이다.

이 글은 지금까지 대부분의 비평에서 간과되었던 인물들에 주목함으로써 이 소설에 존재하는 틈새와 모순에 숨어있는 이야기들이 정치적이고 역사적인 의미에서 어떻게 미국 역사와 연결이 되며, 미국 역사가 어떤 과정을 통해 형성되었는지 그리고 역사 이면을 살펴봄으로써 미국 사회의 전체적인 조망을 찾아보고자 한다.

2. 신생 공화국의 현실

에드거 헌틀리가 친구 왈데그레이브Waldegrave의 동생이며 자신의 약혼자인 메리Mary Waldegrave에게 보내는 편지로 이루어진 이 소설은, 미국이 독립을 이룬 다음 미국 고유의 역사를 세워나가는 과정을 다루고 있다. 이 소설의 사건은 두 명의 몽유병자 에드거와 클리테로를 중심으로 이야기되고 있는데, 이 두 사람의 행동은 평행을 이룬다고 할 정도로 유사성이 많다. 에드거가 클리테로를 처음 만났을 때 클리테로는 왈데그레이브가 살해당한 느릅나무22) 밑에서 땅을 파고 있었다. 클리테로를 친구 왈데그레이브의 살해범으로 의심한 에드거는 그에게 자백을 강요하지만, 클리테로는 미국으로 오기 전 아일랜드에서 자신이 은인 로리머 부인Mrs. Lorimer의 쌍둥이 오빠 와이어트Wiatt를 죽이고 오빠의 죽음을 너무 슬퍼할 거라는 생각에 그 부인마저 죽였다는 뜻밖의 사연을 고백한다. 자신의 평안에 방해가 되는 모든 것을 잊으려고 하는 에드거의 행동은 왈데그레이브의 친구 웨이머스Weymouth의 출현으로 다시 방해를 받는다. 웨이머스는 그에게 유럽으로 무역 항해를 시작하기 전 왈데그레이브에게 7,500달러를 맡겨놓았다는 이야기를 한다. 고아에 무일푼이며 직업도 없는 에드거는 약혼자 메리가 죽은 오빠에게서 유산으로 받은 그 돈에 장래의 재정문제를 의존하고 있었던 것이다. 이 소설의 플롯은 에드거가 완전히 빈털터리가 되었다는 것을 깨달은 지점에서 둘로 나누어진다. 웨이머스의 등장으로 자신이 경제적으로 불안정한 위치로 전락한 것을 깨닫는 순간 에드거의 몽유병 증상이 나타난 것은 의미심장하다.

클리테로를 찾으러 갔던 숲에서 돌아온 에드거는 암흑 동굴에서 눈을 뜨는데, 어떠한 연유로 거기에 왔고 또 어디인지를 알지 못한다. 나중에 그는 자신이 잠을 자는 가운데 거기까지 갔다는 것을, 그리고 그곳이 클리테로를 뒤쫓아 왔던 노워크Norwalk 숲의 동굴이라는 것을 알게 된다. 이 황야의 동굴에서 백인 정착촌으로 귀환하는 과정에서 겪는 모험이 주

---

22) 크라우스Krause는 이 소설과 비슷한 줄거리를 지닌 「몽유병자」(“Somnambulism: A Fragment”)에 나오는 참나무가 느릅나무로 바뀐 것은 브라운의 이 소설을 쓸 때, 윌리엄 펜이 인디언과 조약을 맺었다고 구전으로 전해져 내려오는 <느릅나무 조약>“Treat of Elm”을 염두에 두었을 거라고 하면서 이 소설의 이면에 인디언과 백인 정착민 간의 갈등이 함축되어있다고 주장한다(464).

를 이루는 후반부는, 체이스Richard Chase가 이 소설을 "두 부분이 느슨하게 연결된 이야기"(35)라고 했던 것처럼 전반부와 전혀 관련이 없는 듯이 보인다. 클리테로, 사스필드Sarsfield, 그리고 웨이머스가 유럽에서 했던 모험이 주를 이루는 전반부는 후반부의 에드거가 겪게 되는 미국 황야에서의 모험으로 전환되면서 '공간적이고 문화적인 변화'를 시도한다. 브라운은 유럽에서의 모험을 미국 황야에서의 체험으로 대체하면서 유럽의 유산에서 벗어나고자 하는 미국의 노력을 보여준다.

황야에서 겪는 모험에 관한 긴 편지가 끝난 다음 나머지는 에드거와 사스필드가 주고받는 세 통의 편지이다. 에드거는 사스필드에게 왈데그레이브는 정착촌을 최근에 공격했던 인디언에게 살해당했으며 그 공격은 인디언 노파 올드 뎁Old Deb이 사주했다는 사실을 알린다. 이 소설은 정신병원으로 체포되어 가는 도중 물에 뛰어든 클리테로의 죽음을 통보하고 클리테로에 관한 에드거 편지를 읽은 충격으로 로리머 부인이 아이를 유산하게 되었다면서, 자기의 충고를 듣지 않고 성급하게 행동한 에드거에게 작별을 고하는 사스필드의 편지로 끝이 난다.

에드거와 클리테로 두 사람 모두에게 스승인 사스필드는 이들에게 아버지와 같은 존재이며 그는 전반부와 후반부를 연결하는 "공동체 권위의 중심에 서 있는 인물"(Gardner 452)이다. 그는 유연한 태도와 실질적인 능력으로 모든 위험에 대처할 수 있는 '전천후 능력을 지닌' 전형적인 식민주의자의 모습이다. 신분 차이로 로리머 부인과 결혼하지 못한 사스필드는 그녀의 배려로 동인도 회사에 취직을 하게 되고 벵갈 전투에서 명성을 얻게 된다. 인도의 하이더Hyder 감옥에서 탈출하여 힌두스탄을 헤매면서 "어떤 때는 베레나스의 학자로, 어떤 때는 모스크의 신도로, 사태의 급박함에 따라 그는 메카Mecca로, 저거놋Juggernaut으로 가는 순례자"(691)

가 되어 세계를 돌아다닌다. 터키를 거쳐 이탈리아로 가게 된 그는 거기에서 도적들에게 감금당하나 곧 그들과 친구가 된다. 사스필드가 인도나 이탈리아 주민들을 다루는 능숙한 책략은 그가 존 스미스John Smith 선장과 같은 초기 식민주의자의 유산을 계승하는 사람임을 짐작하게 한다.

사스필드는 힌두교도나 이슬람교도로 완벽하게 가장했던 것처럼 어떤 사회에서도 살아남으며 자기가 목적하는 바를 이루어낸다. 동굴에서 깨어난 뒤 만난 모든 인디언들을 죽이면서 야만스러운 모습으로 자신이 몽유병을 앓고 있다는 것도 의식하지 못한 에드거와는 달리, 사스필드는 바람 따라 방향을 바꾸는 풍향계처럼 어떠한 사회 주민들과도 동화되고 살아남는다. 사스필드는 카멜레온 같은 인물로 어떤 상황에서나 적응하고 항상 자신에게 가장 좋은 결과를 얻기 위해 노력하는 사람이다. 과부가 된 부유한 로리머 부인과의 결혼은 모험 가득한 그의 인생에서 정상을 점한 것이다. 클리테로가 도덕성 감수성에 압도되어 절망과 광기로 내달았다면 사스필드는 그와 정반대의 인물이다. 에드거는 그 중간쯤 해당하는 인물로 지나친 호기심으로 다른 이의 사생활에 과도하게 개입하고 일견 순진해 보이는 표면 아래 폭력을 감추고 있다. 그의 폭력성은 동굴에서 팬더와 인디언들을 만나자마자 폭발하는데, 그는 자신의 호기심과 폭력적 태도를 인간적인 감정이라 생각한다. 점점 폭력적으로 변해가는 그가 마지막으로 만난 인디언을 단 한 번의 공격으로 죽이지 못하고 심한 상처만 입혀놓자, 그는 자신이 "동정과 의무감에서" 그 인디언을 다시 한번 찔러 숨을 끊어 주었다고 하면서 "장난기의 발동으로"(861) 길 한복판에 버려진 인디언 주검 곁에 소총을 세워두고 갔다는 말을 덧붙인다.

에드거의 이런 변덕스러운 언행이나 몽유병자라는 사실은 우리에게 전하는 그의 이야기를 말 그대로 받아들이기 어렵게 만든다. 브라운은 에드거를 때로는 광기에 사로잡힌 몽유병자로, 때로는 도덕적 권위가 없는 '믿을 수 없는 화자'로 설정한다. 에드거와 클리테로는 이성적인 태도로 자기들의 이야기를 하고 있으나 그들이 하는 행동은 그들의 이야기를 신뢰할 수 없게 한다. 대부분 고딕소설의 주인공들이 희생자의 관점에서 이야기하고 있다면 에드거와 클리테로는 희생자라기보다는 끔찍한 죄를 저지르는 가해자들이다.

조단Cynthia Jordan은 브라운의 작품들이 열린 결말을 택하고 있다고 하는데(80) 그 주장은 특히 이 소설에 해당한다. 에드거는 소설 결말에 개인적으로나 경제적인 모든 면에서 안정성을 상실한다. 숙부는 인디언에게 죽임을 당하고 숙부의 아들은 그와 사이가 좋지 않다. 에드거의 성급한 행동으로 아이를 유산한 사스필드는 아들처럼 돌봐주겠다는 약속을 철회하며 작별을 고한다. 에드거는 약혼자 메리에게 돌아갈 수 있는 여지는 남아있으나 그녀 소유의 모든 유산을 웨이머스에게 양도해야 한다는 사실이 그럴 가능성을 어둡게 한다. 직업이 없는 에드거에게 낙관적이고 안정된 미래는 예측하기 어렵다. 사스필드의 편지로 결말을 내면서 브라운은 많은 것을 마무리 짓지 않은 채 끝내며 웨이머스에 대해서는 다시 언급하지 않는다.

에드거의 미래가 불확실한 만큼이나 클리테로가 죽은 상황 역시 확실하지 않다. 사스필드는 그가 "뭍으로 가려는 생각으로 물속으로 뛰어들었다"(898)고 추측한다. 그러면서 동시에 다른 이들이 그를 구하러 갔을 때 클리포드는 "물 밖으로 나오려 하지 않고 더 이상 보이지 않게 되었다"(898)고 엇갈리는 말을 하고 있다. 이는 인간 지각의 불완전함을, 인간 의식의 표면 아래 감추어진 비이성적인 힘이 우리의 판단과 행동에 행사하는 영향을 보여준다. 인디언들의 습격에 대응하는 백인 원정대로 왔던 사스필드는 올드 뎁의 집에서 잠시 기절한 에드거를 죽었다고 판단했고 에드거가 절벽에서 뛰어내린 것을 보고 그가 물에 빠져 죽었을 거라고 믿어버리는 인식의 불완전함을 보여준다. 이 소설은 시야에서 사라지는 것은 모두 죽었다고 생각하는 흔한 통념을 뒤흔든다.

이 소설의 모호하고 열린 결말은 악이 잠정적으로 패배하나 완전히 뿌리 뽑히지 않은 채 끝이 나는 고딕소설의 양식이다. 고전적인 고딕소설과 같이, "인습적이고 감상적인 결말의 옷을 입은 듯하나 이 소설은 문을 열지도 닫지도 않는 채 약간 열어놓고 있다"(Davidson 237). 고딕소설은 의도적으로 "파편화되어있고 일관성이 없어서 이성의 시대가 표방하는 질서와 인간 본성의 합리성에 도전한다"(Botting 312). 소설의 발전은, 특히 고딕소설의 발전은 중산층의 부상과 관련되어 있으며 소설이 지니는 가변성은 전통적인 사회구조를 전복시키려는 도구로 간주되어 왔다. 전통적인 사회 계층이 존재하지 않는 신생국 미국에서는 새로운 유령을 모색해야 했는데, 미국 소설 역시 유럽 소설과 마찬가지로 문제가 해결되지 않은 곳에서, 공적 수사와 사적 표현 사이의 틈새에서 발생하였다(Davidson 260).

그런 틈새에 자리 잡은 이 소설은 사적인 것과 공적인 것, 정치적인 이상과 현실 사이의 갈등을 재현한다. 에드거의 불투명한 미래는 당시 미국의 사회적인 증상을 반영한다. 미국의 공적 수사는 제퍼슨적인 근면한 자영농이라는 이상형을 제시하나 이 소설에는 그런 인물들이 등장하지 않는다. 미국은 더 이상 크레브커J. Hector St. John De Crevecoeur가 말하는 "유럽의 구태를 벗고 미국의 근면한 자영농으로 태어나는"(80) 땅이 아니다. 미국의 현실에서 보았을 때 크레브커의 주장은 미국화에 대한 감상적인 희망이고 제퍼슨을 추종하는 농본주의자들의 이상적인 의견이라고 할 수 있다. 무일푼의 고아 에드거는 자기의 능력으로 돈을 벌기보다는 다른 이로부터 유산을 받아 살 생각을 하고 있고, 웨이머스는 무역에 종사하고 로리머 부인은 유럽의 봉건적인 규율에 따라 산다. 진정한 미국인이 되기 위해 에드거는 마치 인디언처럼, 때로는 그들보다 더 잔인한 방식으로 토착민들을 물리치고 살아남았으나 그들을 모두 제거하고 미국의 야생 숲을 물려받는 에드거의 상징적인 행동은 그에게 실질적인 생계수단을 마련해 주지 못한다.

에드거의 도플갱어라고 할 수 있는 클리테로는 미국 생활에 에드거보다 잘 적응한다. 그는 하인으로 일하기를 주저하지 않으며 며칠씩 황야에서 지낼 수 있고 그를 치료하기를 거부한 사스필드의 도움 없이도 약초로 건강을 회복하고 결국에는 인디언 노파 올드 뎁Old Deb의 살던 오두막을 물려받는다.[23] 클리테로가 올드 뎁의 집에 산다는 것은 이 소설이 영토 상속과 박탈이라는 중요한 문제를 다루고 있다는 것을 암시한다. 이 소설의 여러 인물이 체험하는 유산 상속과 박탈이라는 주제는 내부적으로 정착민 백인과 토착민 인디언 간의 영토 분쟁으로 이어지고, 외부적으로는 유럽과 미국의 관계 정립이라는 문제와 연결된다. 미국인들은 토착민 인디언들과 관계를 설정하면서 유럽의 식민 정책을 취사선택하고 있음을 볼 수 있다.

---

23) 가드너Gardner는 당시 미국인들이 정체성을 규명하는 데 비 미국적인 존재들이 필요했다고 하면서 이방인과 인디언들은 추방되거나 제거되어야 하는 존재들이라는 점에서 같은 존재들이었다고 주장한다(*AL* 437).

3. 지워지는 피식민자

왈데그레이브가 올드 뎁의 부족 델라웨어Delaware 인디언들에게 살해 당했다는 이야기는 대부분의 사람들이 그의 죽음에 대해 거의 망각하고 있을 무렵 소설 말미에 슬그머니 언급된다. 인디언들이 백인 부락을 공격하면서 왈데그레이브를 죽이게 된 동기는 분명하게 드러나지 않는다. 표면적으로는 올드 뎁의 개인적인 복수심 외에는 이유가 없는 듯이 보인다. 이 인디언들은 올드 뎁을 제외하고 개인이 아닌 델라웨어나 레니레나페Lennilennape라는 인디언 부족으로 등장하며 "괴상하게 옷을 차려입은" 야만적이고 타락한 모습의 정형화된 인디언이다. 이 소설에서 이들의 목소리는 들리지도 않고 팬더와 다름없는 동물 같은 모습이며 정복되어야 하는 악의적인 황야의 장애물로 제시된다. 사실 이 작품 속의 사건이 일어나던 때 레니레나페 부족은 이미 오래전 서부 변경인 오하이오 지역으로 축출당했다. 그곳은 델라웨어 포크Delaware Fork라는 지명을 지니고 있지만, 1787년 무렵은 이미 델라웨어 인디언이 추방된 지역이었다. 에드거는 자신의 이야기가 시기적으로나 지정학적으로 일치하지 않는다는 것을 알고 있었으나 "지난 전쟁 동안 백인 정착민의 증가와, 노워크까지 오는 원정이 점점 위험해지는데도 불구하고, 인디언 일당은 노워크까지 침투해 이웃 주민들을 약탈하고 살해할 정도로 오랫동안 그 주변에 머물렀다"(791)고 주장한다. 이 소설의 사건이 발생하기 두 해 전인 1785년, 맥킨토시 요새Fort McIntosh에서 인디언과 백인 정착민들은 인디언들이 지금의 오하이오와 인디애나에 해당하는 북서부로 또 다시 옮겨가야 한다는 내용의 조약을 체결하였다(Weslarger 320-21). 거기에서 델라웨어 강 유역까지는 상당히 먼 거리이다. 인디언들은 올드 뎁을 방문한다는 개인적인 용무로 다시 이 지역으로 돌아온 것이다.

올드 뎁이라는 인디언 노파는 웨이머스나 사스필드와 마찬가지로 비평가들의 주목을 별로 받지 못한 인물이다. 그녀는 다른 이의 시선을 통해 전달되지만 그녀는 이 소설의 플롯과 의미의 핵심에 자리 잡고 있다. 올드 뎁은 "100살이 넘은 듯 주름투성이의 왜소한 몸집"(822)의 정신 나간 노파로 그려진다. 그러나 올드 뎁은 정신이 이상한 마녀나 백인들의 신의를 저버린 사악한 배반자가 아니라 빼앗긴 주거지의 권리를 되찾고자 하는 인디언 부족의 대표이다(Sivils 294, Gardner 446). 그 땅은 레니레나페 부족들이 조상 대대로 살던 근거지였다. "올드 뎁의 부족이 전에 살던 마을은 지금 내 숙부의 헛간 앞마당과 과수원이 있는 땅 위에 있었다. 그들 부족이 떠나자 올드 뎁은 빈 초가를 태우고 광활한 노워크로 들어갔다"라고 한 말처럼 에드거를 비롯한 백인 정착민들은 편리하게도 자기들이 인디언과 했던 약속을 어김으로써, 델라웨어 부족들이 근거지를 떠나야 했다는 사실을 망각한다(Krause 475). 혼자 남은 올드 뎁이 노워크의 황야로 떠나면서 부족의 집을 태우는 것은 백인들에게는 땅을 정복하고 차지했다는 의미로 해석될지 모르나, 그녀에게는 인디언 문화는 오직 인디언 자신들에 의해 파괴될 수 있을 뿐이라는 의지의 표명일 뿐이다. 인디언 부족들에게 이 행동은 백인들에 대항해 자기들의 주권을 찾고자, 부족 공동체 마을을 포기한 그녀의 결의를 표시하는 것이다.

올드 뎁은 백인 정착촌 주변에서 개 세 마리와 함께 작은 밭떼기에서 일군 옥수수로 연명하며 살아간다. 주위 백인 정착민들과 거의 왕래가 없으며 개에게만 말을 하는 "그녀의 목소리는 날카롭고 째지는 소리이다. 몸짓은 맹렬하고 그로테스크하다"(822). 다른 인디언들과 다르게 올드 뎁에게는 유일하게 목소리가 주어진다. 그러나 그 목소리는 편견을 가진 사람을 통해 전달된다. 에드거는 올드 뎁이 "하는 일이라고는 말하는 거"라고 하나 그녀는 백인들에게는 직접 말을 하지 않는다. 에드거는 올드 뎁의 역사를 자기 식으로 요약함으로써 올드 뎁의 목소리를 식민화한다. 에드거는 올드 뎁의 움막을 방문해 "그녀가 가진 몇 가지 생각에 대해 나눌 수 있는 서너 가지 허튼소리jargon를 배우지만"(822), 인디언의 언어를 '허튼소리'라고 하며 올드 뎁이 "몇 개의 아이디어"만을 가지고 있을 뿐이라고 그녀를 경멸한다. 올드 뎁 역시 에드거와 영어로 의사소통이 가능하나 "영어로 말하는 것을 거부한다"(822). 그녀에게 자기네 말은 박탈당한 문화의 일부로서 다른 언어로 말하기를 거부하는 것은 그녀가 백인 문화를 수용하지 않겠다는 의지를 드러내는 것으로 볼 수 있다. 올드 뎁의 이야기는 그것을 전달하는 에드거의 희극적인 말투에도 불구하고 그녀 부족이 델라웨어 강 유역의 땅에 대해 갖는 권리를 분명하게 확인해준다. 올드 뎁의 영향력은 에드거가 왈데그레이브의 범인을 찾기 시작하면서 겪는 일련의 사건들과도 얽혀있다. 이 소설은 그라보가 지적했듯이, 백인들이 올드 뎁 부족의 땅 대부분을 빼앗은 1758년 <이스턴 컨퍼런스>Eastern Conference 조약 성립 30년 뒤에 시작한다(xiv). 에드거는 백인들이 인디언들의 땅을 차지해가는 세월들을 알고 있으나, 그는 오직 "델라웨어 부족들이 영국인 정착촌 한복판으로 파괴하며 들어오는 것"(791)만을 기억한다. 에드거는 백인들의 시선으로만 올드 뎁과 그 부족을 볼 뿐이다. 브라운은 올드 뎁을 그리는 에드거를 통해 토착민을 대하는 당시 미국인들의 태도를 반영하고 있다. 올드 뎁의 언어는 부재하는 인디언 역사의 현존을 제시한다.

올드 뎁은 한 사람으로 이루어진 자기만의 나라라고 할 수 있다. 그녀는 자기 부족의 땅을 빼앗아 사는 이웃 백인들에게 자신이 기본적으로 필요한 것들, 때로는 음식과 옷가지들을 요구하기도 한다.

> 그녀는 자기 부족 뒤에 남기로 함으로써 나라를 계승하고 이 모든 지역의 소유권을 유지한다고 생각했다. 영국인들은 그녀의 묵인과 허락으로 땅을 차지한 이방인이고 거류민들이었다. 그녀는 그 사람들을 자기가 부족한 것을 자신에게 제공하는 조건으로 그 땅에 남겨두는 것을 허락하였다. (822)

노워크 백인들은 이것을 "유쾌하고 재밌는 일"로 여기고 "겉으로는 점잖고 정중하게 들어 준다"(822). 백인들에게 음식과 옷으로 자기 영토에 사는 값을 치르게 하는 올드 뎁의 요구는 주권국의 세금 징수라는 평범한 행동이다. 그녀는 자기 나라에 사는 사람들은 자기가 필요한 것을 제공해야 한다고 생각한다. 백인들에게 대가를 요구하면서 그들에게 침입자가 아닌 시민의 지위를 부여하는 올드 뎁의 행동은 관대하다. "정말로 필요한 것, 자기 밭에서 생산하지 못하는 것만을 요구하는"(822) 그녀의 방식은 자기네들이 필요한 것을 충당하는 것으로는 만족하지 못하는 백인들의 탐욕에 대한 강한 반격이라고 할 수 있다.

올드 뎁이 자기 부족들을 통솔하는 데서 받는 존경과 백인 정착민들에 대한 반격을 지휘하는 영향력으로 추측해보자면 그녀는 실재로 인디언 장로거나 부족 공동체에서 뛰어난 지위를 차지하는 인물일 것으로 생각된다. 이는 백인들에게 하는 그녀의 요구가 전혀 허세가 아니라는 걸 보여주고 그녀를 "맵 여왕"Queen Mab이라고 놀리는 백인들의 농담을 역설적으로 만든다. 올드 뎁은 이 소설에서 유일하게 이름을 가진 인디언이지만, 에드거가 전달하는 편향된 모습처럼 그녀의 이름은 진짜 이름이 아니다. 올드 뎁이나 맵 여왕24)이라는 그녀의 별명은 둘 다 백인들이 지어준 것

24) 시빌스Sivils는 맵 여왕Queen Mab은 셰익스피어의 『로미오와 줄리엣』(*Romeo and Juliet*)에 등장하는 요정 유모의 이름이라는 것을 상기시키면서 맵이 작으나 굉장

으로, 이 호칭은 레니레나페 부족의 자주권을 부인하는 백인 정착민들의 정책을 상징하는 것이라고 할 수 있다. 주권을 표시하는 가장 중요한 것 가운데 하나가 이름이라면 이것은 올드 뎁에게도 해당한다.

에드거가 올드 뎁을 그리는 태도가 애매하다[25]. 그는 델라웨어 부족의 비극적인 역사에 동정심을 표하기도 하고 땅에 대한 그들 부족의 권리 역시 암묵적으로 인정하고 있다. 그러나 동시에 이 소설의 서술 전략은 그 인디언 부족의 주장을 단 한 사람의 정신 나간 노파가 했다는 사실로 비웃어버려 완전히 부조리하게 만든다. 올드 뎁의 비극적 상황과 자기네 근거지에 대한 그녀의 주장을 조롱조로 그리는 데서 알 수 있듯이, 올드 뎁을 백인들의 배신자로 제시해 인디언들의 권리를 전면 부정하는 장면을 준비하는 것이다. 근간에 발생한 인디언 공격의 주모자로 밝혀진 올드 뎁

한 영향력을 지니고 있다는 점을, 그리고 또 다른 이름 올드 뎁Old Deb 역시 구약 성경의 예언자 데보라Deborah를 연상시킨다고 한다. 성경 속의 데보라Deborah는 이스라엘 민족을 이방인의 침략에 대항하도록 다시 뭉치게 만든 강한 여인으로 퀸 맵이나 올드 뎁 두 이름 모두 이 여인이 조언자이며 전략가로서의 함축적인 의미를 상징한다고 주장한다(298-99).

25) 몇 비평가들은 브라운과 에드거의 거리를 염두에 두면서 작가가 에드거를 통해 당시 미국인들이 인디언을 다루는 태도를 비판하고 있다고 주장한다. 시빌스Sivils는 브라운이 올드 뎁이라는 인물을 통해 미국인들이 인디언을 대하는 태도에 관해 논평한다고 말한다(295). 하인즈Janie Hinds 역시 작가가 올드 뎁을 경멸하는 에드거의 관점을 드러내기 위해 그녀의 언어를 끼워 넣었다고 한다(333). 브라운은 사라져가는 부족에 대해 동정을 표하고 있다고 볼 수 있으나 그가 소설 창작을 그만둔 다음 잡지에 발표한 글들로 유추해보면 인디언 부족의 운명보다는 장차 강력한 미국의 건설에 더욱 관심을 기울인 것으로 보인다. 그는 인디언을 미국의 건국에 위험한 존재로 여겼다. 그의 첫 정치 팸플릿 「루이지애나를 프랑스에게 넘긴 정부에게 주는 연설」("An Address to the Government on the Cession of Louisiana to the French")에서 "인디언들은 여러 면에서 좀 더 위험한 수감자들"(Gardner 431)이라고 주장했다.

은 정착민으로부터 받은 피해를 열거하며 자신의 행동을 자랑스러워한다. 에드거는 "이런 상처들은 경멸하거나 소홀했던 대접에서, 그리고 올드 뎁의 근거 없고 부조리한 주장을 거절한 데서 나왔다"(886)고 말한다. "근거 없고 부조리한" 올드 뎁의 주장은 사실은 자기 부족 땅에 대한 권리를 말하는 것이고 기억되고 기록되어야 하는 것이다. 하지만 이 소설의 부제 "몽유병자의 기억"이 강조하고 있듯이 에드거는 다른 이들의 정당한 주장을 기억하지 못한다. 다른 이들의 이야기에 피식민지인들의 주장을 끼워 넣어 그들의 목소리를 들려주고, 그러고 나서 침묵시켜 버리는 전략은 유럽인들의 식민지 담론 가운데 가장 오래되고 성공적인 전략이다(『포스트콜로니얼 문학이론』 21). 올드 뎁이 제시되는 방식은 셰익스피어의 『폭풍』(*The Tempest*)에 등장하는 칼리밴Caliban이 묘사되는 스타일을 연상시킨다.[26)]

백인에 대한 공격을 주도했던 올드 뎁의 행동을 에드거가 "배신"이라고 하는 것은 식민화하는 힘의 논리로 그녀의 행동을 설명하는 것이다(Barker and Hulme 200). 정착민들이 인디언의 토지를 강탈하는 행위는 올드 뎁의 마을이 헌틀리 농장으로 변화된 사실에서 분명하게 나타난다. 그런데 이 소설 끝 무렵에 이르면 그녀의 주장이 전혀 "근거 없는" 것으로 변화하면서 백인들이 인디언들의 땅을 차지하는 것이 자연스러운 일로 받아들여진다. 올드 뎁은 이 소설이 미국과 인디언 관계에 어떻게 연결되고 있는지를 이해하는 데 중요한 인물이다. 이 인물을 주변화하고 지우는

26) 올드 뎁은 여러 면에서 근대 초기 유럽의 대표적인 식민 담론 텍스트 가운데 하나인 셰익스피어의 『폭풍』의 칼리밴을 연상시킨다. 이 두 인물은 작품에서 목소리는 직접 전달되지 않으나 자기네들이 원래 땅의 소유자라는 사실을 고집스럽게 주장한다. 또 이 두 인물 모두 익살스럽게 그려지고 식민자들에게 대항할 음모를 꾸민다는 공통점을 가지고 있다(Mackenthun 25).

에드거의 의도는 미국이 인디언 문제를 다루는 태도를 반영한다. 올드 뎁의 목소리는 에드거의 수정주의 역사와 미국 사회의 주류 목소리 아래로 깊이 파묻혀버린다. 에드거의 언어는 담론 통제를 통해 식민적인 입장을 취하게 되고, 올드 뎁의 이야기를 식민화를 이루어가는 역사의 주변부로 밀어버려 인종 간의 경계선을 강조한다. 그리하여 『에드거 헌틀리』라는 개척지 드라마는 인디언의 목소리를 해방하기보다는 인디언 부족의 제거와 노예 권리를 엄격히 제한하는 미국의 정책을 강화하는 데 일조하게 될 가능성이 크다.

4. 유럽 양식의 전용

올드 뎁이 머물렀던 오두막에 클리테로가 사는 사실은 이 두 사람이 연결되어 있다는 것을 암시한다. 클리테로는 유산이 없는 가난한 아일랜드 소작농이며 로리머 부인에게 빚을 지고 있는 사람이다. 그라보가 지적하듯 클리테로와 올드 뎁 둘 다 유산을 박탈당한 사람들이기는 하나(xiii) 이 두 사람 사이에는 근본적인 차이가 있다. 클리테로는 단순히 무산 계급으로 그가 오르기를 열망하던 위치에서 쫓겨났지만, 올드 뎁의 부족들은 그들 조상 대대로 살아오던 땅을 빼앗긴 것이다. 그가 예상치 못한 와이어트의 출현으로 받을 거라고 기대했던 재산을 박탈당했다면, 올드 뎁은 백인들의 강점으로 조상 대대로 살았던 근거지를 몰수당했다. 유럽의 전통적인 사회 계층의 압박에서 도주한 클리테로는 미국으로 와 토착민의 자리를 이어받는다. 그는 황야의 동굴에서도 잘 지내고 인디언들에게 붙잡혀서 입은 상처를 야생 약초로 완치하며 토착문화에 상징적으로 입문하는 "문화적 잡종"(Mackenthun 23)이 된다. 에드거에게 모습을 드러냈을 때, 그는 미국의 자연에 완벽하게 적응한 듯이 보인다. "그의 팔, 가슴, 뺨은 털이 무성하게 자라서 반쯤 가려졌으며 … 야생 사나이에서 늑대인간으로 변한 것 같다"(737). 미국의 자연환경에 적응하는 클리테로의 능력은 사스필드의 능력을 연상시킨다. 그러나 어떤 변장을 하더라도 그가 갔던 모든 나라에서 식민자로서의 정체성이 흔들리지 않았던 사스필드의 변장술과는 달리, 클리테로의 문화적 잡종성은 의심을 불러일으킨다. 또 한편으로 그가 유럽의 기억에서 벗어나지 못한다는 점은 안정된 자아를 유지하는 데 방해가 되어 점점 더 광기로 나아가게 만드는 원인이 된다.

브라운은 영리하게 이 소설을 사스필드의 관점에서 결말을 짓고 있다. 자신 외의 누구도 신뢰하지 않으며 에드거와 달리 내적 갈등이 없는 사스필드로서는, 클리테로의 말이 아무리 이성적으로 들리더라도 그는 피해야 하는 미친 사람이다. 사스필드의 미국에는 클리테로도 이방인도 존재하지 않는다. 그는 "클리테로와는 같은 땅을, 같은 세상을 공유하지 않겠다"(871)고 다짐한다. 마치 올드 뎁의 주장에 대해 "근거 없고 부조리하다"고 에드거를 비롯한 정착민들이 결정하듯이, 이 소설에서 누가 이성적이고 그렇지 않고를 판단하는 것은 사스필드이다. 이 두 가지 보기가 제시하듯 '진리'로 수용되는 정도가 실제로 이야기를 전달하는 화자의 위치와 이해관계에 달려있다는 것을 보여주는 이 소설은 역사적인 우화소설일 뿐 아니라 사회 비평으로도 읽을 수 있다. 무엇보다도 이 소설은 진리라고 생각되는 것이 항상 화자의 개인적 사회적 위치에 의존하는, 사회적으로 인정되는 추론적 과정의 결과라는 것을 내포한다. 니체적인 용어로 말하자면 진리란 항상 권력의 기능이며 이야기가 단 하나만의 의미를 제시해야 하는 필요에 압도당하는 입장이라는 것을 이 소설이 보여주고 있다(Meckenthun 25).

앞서 말한 바와 같이 이 소설은 두 젊은이의 심리적이고 도덕적인 발전, 아버지와 같은 인물과의 관계 정립 문제, 그리고 개척지 사회에 입문하는 것과 같은 일차적인 관심사 외에 역사적으로 발생한 정복과 갈취, 죄, 폭력의 이야기를 숨기고 있다. 이 두 이야기는 양립하지 않는다. 왜냐하면 첫 번째 것은 상대적으로 연대기적이고 일관성이 있다면, 두 번째 이야기는 이념적인 결말을 내려는 시도에 생기게 마련인 틈새에 자리 잡아 파편적이며 부분적으로는 잊히고 다양하고 산만하다. 텍스트가 자체적으로 분리됨으로써 이 소설은 격변하는 시대의 반목하는 이데올로기를 재생산한다. 그렇다면 이런 모든 것이 어떻게 미국 혁명과 연결되는가? 『에드거 헌틀리』는 무엇보다도 정치적인 변화와 유산 상속과 갈취의 우화라고 할 수 있다. 이 소설은 미국이 영국의 제국적인 정책을 계승하고, 상업주의에 의존한다는 점을 부인하고 싶어 한다. 클리테로는 올드 뎁이 버리고 떠난 집에 들어가 사는데 이 두 사람의 문화적인 경계를 넘나드는 행동은 좌절당한다. 이 소설은 역사적인 연속성을 역사적 근원의 신화와 부모에 대한 자식의 불복종 신화로 변화시킴으로써 역사의 연속성에서 벗어나고자 한다. 그러나 완전히 성공하지 못하고 과거는 이 텍스트의 가장자리에 어른거린다. 식민지 역사를 신화로 변화시키려는 시도에서 이 두 개의 텍스트는 서로 갈등하는 기억의 흔적을 지니고 있다.

고딕 장르는 브라운에게 제국적인 현실을 미화할 가능성을 제공한다. 이 소설에서는 고딕소설의 특징인 전복적 성격이 애국적인 목적을 위해 사용된다. 브라운은 이 작품에 유럽 고딕소설에 등장하는 타락한 사제와 유령 대신 인디언들을 등장시킨다. 이들 인디언들은 루소나 볼테르가 말하는 유럽의 '고귀한 야만인'Noble Savage과 전혀 다르다. 유럽의 유령과 악마들의 자리를 대신하는 『에드거 헌틀리』의 인디언들은 인디언에게 적대적인 코튼 매써Cotton Mather의 책자에서 걸어 나온 듯하다. 유럽 봉건주의 박해를 상징하는 사제나 귀족 같은 인물들이 미국의 인디언으로 대체되는 것은 이념적인 전복의 과정이기도 하다. 이 소설에는 고딕적인 구조가 남아있기는 하나, 유럽 압제자의 위치는 식민지 확장 정책의 피해자들에게 이전된다(Fiddler 160-61). 주류 사회에 대한 비판으로 발달한 유럽의 고딕양식이 이 소설에서는 미국 주류 사회의 영토 확장주의를 옹호하는 수단으로 변화한다. 『에드거 헌틀리』에는 인디언들의 땅을 빼앗는 과정이 도덕적으로 소화 가능한 것으로, 미국의 국가적 정체성을 정립하고 미국이라는 나라의 정립에 필요한 선행조건으로 제시된다. 이런 점에서 「서문」에서 고딕소설 양식을 차용하겠다고 한 이 소설은 유럽의 선례와는 다르게 미국 사회에 대해 진정한 비판을 가하고 있다고 보기 어렵다. 이 소설은 미국의 독립과 국가적 정체성을 형성하는 데 방해되는 역사적인 계속성을 억압한다. 브라운이 이 소설의 화자와 얼마만큼의 거리를 유지하고 있는지는 모르나 그는 이 소설의 마지막 목소리를 사스필드, 즉 구세계의 제국주의적 전통을 신세계에 심는 유럽의 식민주의자에게 부여한다.[27] 이 소설을 마칠 무렵 작가는 개인의 선의나 호의를 믿는 입장에서 국가의 운명이 더 가치 있다는 입장으로 기울어진 것으로 보인다(Gardner 440, Watts 131). 이런 점에서 새로운 질서는 구질서와 근본적으로 다르지 않으며, 영국 제국주의자에 관한 기억이 미국 식민주의자에게 계승된다.

---

27) 박지향은 "제국주의가 제국의 건설과 유지를 위한 모든 힘과 행동을 포괄하는 개념이라면 거기에는 식민지 정치만이 아니라 국제 정치까지 포함된다. 따라서 식민주의가 특수 식민 담당부서와 현장에 있는 사람들에 의해 추진된다면, 제국주의는 재무부, 외무부, 국방부에서 계획되고 이행된다고 할 수 있다"(19)고 엄밀하게 구분하고 있으나, 여기서는 제국주의와 식민주의를 구분하지 않고 포괄적으로 사용하였다.

5. 나가는 말

이 소설에서 기억과 망각의 변증법은 궁극적으로 미국의 확장주의를 위해 작용한다. 미국의 확장주의는 영국에게 지적, 경제적으로 빚을 지고 있다는 것은 부인하나 영국의 제국주의적 비전은 계승하였다. 유럽에서 자기가 했던 일을 잊지 못하면서 미국 원주민으로 동화되고자 하는 클리테로가 광기로 치달을 수밖에 없었다면, 자기네 농장이 델라웨어 부족의 땅이었다는 것을 망각하고 숲에서 만난 인디언들을 팬더를 물리치는 것처럼 마음의 동요 없이 처치할 수 있는 에드거는 이 땅에서 살아남는다. 그리고 자기 정체성의 동요 없이 어느 공동체, 어떠한 종교에도 적응할 수 있었던 사스필드 역시 미국에 존재하게 된다. 식민주의 전통을 계승하는 사스필드가 이 소설의 마지막 말을 맺는다는 사실은 미국의 이념적인 선택을 보여준다. 미국인들은 올드 뎁의 오두막을 이어받을 정도로 미국의 토박이 문화에 완전히 자연스레 동화되는 클리테로보다는, 자기가 만난 모든 공동체에 적응했으면서도 적응하는 과정에서 겪은 기억을 말끔히 지우는 사스필드를 선택한 것이다. 그러나 몽유병을 앓고 있으며 주위에 가까운 사람 하나 없는 빈털터리인 에드거나, 젊지 않은 나이에 가진 아이를 유산하게 된 사스필드 부부의 모습에 반영되는 미국의 현실은 미래가 보장되지 않는, 거친 현실을 정면으로 부딪쳐야 하는 불안정한 상황이다. 그들은 생존하기 위해 그리고 자기 나라를 정립하기 위해 자기들의 과거를 선택적으로 기억하고 지워나간다.

피식민자인 인디언의 주장과 기억들은 근거 없는 '허튼소리'로 변화되고 결국 잊혀지게 될 것이다. 델라웨어 인디언과 백인 정착민들 사이에 영토에 관한 조약은 원래 체결되지도 않았으나 영국인들은 인디언 대표들이 이전에 체결한 조약을 망각했다고 주장하였다. 영국 대표단은 처음부터 존재하지도 않았던 문서를 위조한 서류의 복사본을 제시해(Weslager 187-88) 결국 1737년 레니레나페 부족과 소위 <도보 구매 조약>Walking Purchase Deed이라는 것을 체결한다. 그 조약에 의해 레니레나페 부족은 동부 펜실베이니아 대부분을 백인들에게 양도하게 되었다. 인디언들은 하루 동안 사람이 걸을 수 있는 만큼의 땅을 영국 정착민들에게 팔기로 약속했으나, 영국인들은 보통사람이 아닌 전문 달리기 선수를 고용하여 보통 사람이 갈 수 있는 거리의 세 배를 차지하였다. 이처럼 영국인들이 임의로 만들어낸 역사적 사료가 제시하듯이, 독립혁명 이후에 나온 이 소설 담론은 기억과 망각의, 어떤 자료는 보존하고 어떤 자료는 배제하는 선택의 변증법에 의해 결정되었다. 또 이 소설을 발표한 지 4년 뒤 브라운은 전복적인 잠재성을 지니는 소설 형식에 내재하는 위험을 인식했던 것 같다. 브라운은 소설 창작을 포기했을 뿐 아니라, 이전에 열렬히 추종하던 고드윈William Godwin의 급진적 사상에서 선회한 태도를 보여준다. 1803년 첫 정치적인 팸플릿 「루이지애나를 프랑스에 넘긴 정부에게 주는 연설」에서 미국은 프랑스로부터 루이지애나 영토Louisiana Territory를 확보해야 하며, 아메리카 대륙 전체에 미 제국을 확장하기 위해 프랑스와 전쟁을 해야 한다고 열렬히 주장하였다(Davidson 236).

미국인들의 제국주의적 비전은 1737년 <도보 구매 조약>이나 1787년 <노스웨스트 조례>Northwest Ordinance, 1803년 브라운의 「루이지애나 연설」 등에 함축되어 있다. 이 소설은 토착민의 물리적이고 문화적인 생존에 완전히 파괴적인 결과를 야기했던 역사적인 과정을 인간의 집단적인 심리에 깊이 뿌리박고 있는 알 수 없는 '운명'의 체현이라고 말한다. 에드거는 우리에게 "행동이 의도적이지 않아도 죄라고 할 수 있느냐?"(719)고 묻고 있다.

미국인들이 자국의 이익에 합당하게 과거의 기억을 선택적으로 지우고 또 살리는 과정의 틈새에서 사라져버린 과거를 복원하여 우리는 그들의 역사를 일부가 아닌 전체로 재평가해야 할 것이다. 브라운은 소설을 쓰던 과정에서 인간 개인의 선의와 계몽주의적 합리성에 대한 초기의 신념을 지지하는 진보주의자에서, 강력한 미국을 건설하기 위해 구대륙의 식민주의 정책을 지지하는 보수적 입장으로 선회하는 듯이 보이지만 우리는 에드거가 전하는 이야기를 거꾸로 읽음으로써 미국의 식민지 확장 정책의 실현 속에 깊이 묻혀버린 실패한 이민자나 인디언 부족의 이야기를 복원하여 살려낼 수 있을 것이다. 주류에 압도당해 파묻혀 버린 주변인의 소리, 피식민자의 소리를 들리게 만드는 것은 독자인 우리의 몫이고 그들의 사라지고 잊힌 목소리가 던지는 메시지가 바로 브라운이 「서문」에서 '도덕적인 화가'라는 작가가 "책이라는 매체를 통해 독자에게 던지고자 했던 공공의 선의 소리"일 것이다. 도덕적 화가의 책무를 완성하는 것은 최종적으로 작가의 것이라기보다는 '공공의 선의 소리'를 들어 올려 온전하게 헤아려 이해하고자 노력하는 독자의 몫으로 남을 것이다.

『아서 멀빈』: 찰스 브록덴 브라운의 최종 선택

1. 들어가는 말

『아서 멀빈』(*Arthur Mervyn; or, Memoirs of the Year 1793*)은 비평가들의 주목을 받는 브라운의 소위 '사중주'라는 네 편의 소설 가운데 가장 주목받지 못한 작품이라고 할 수 있다. 흔히 그의 단점으로 거론되는 통일성 없는 플롯, 주제와 연결되지 않고 사라지는 많은 에피소드들과 같은 점들이 가장 두드러지며, 네 편의 장편 가운데 가장 분량이 많고 집필 기간 역시 가장 길었던 소설이다. 그는 1795년 5월 『아서 멀빈』 1부를 발표한 다음 『에드거 헌틀리』를 발표했고, 다음 해 6월에 2부를 발표하였다. 이와 같은 사실로 『아서 멀빈』이 브라운의 실질적인 마지막 작품이라고 할 수 있다(Krause 298).

1798년과 1800년 18개월이라는 짧은 시간에 네 권의 소설을 발표한 브라운은 당시 사회 문제를 자신의 작품 속에 담아냈다. 변호사라는 직업과 작가가 되고자 하는 욕망 사이에서 괴로워했던 그는 자신의 글을 공적 영역에 투사함으로써 갈등을 해소하고자 하였다. 브라운은 흔히 '미국 고딕소설의 아버지'로 자리매김 되었으나, 그의 소설 가운데 사회정치적인 의미가 배제되어있는 작품은 하나도 없다고 했던 헤일Dorothy J. Hale의 지적처럼(48), 그는 소설이야말로 자신의 뜻을 펼치고 사상을 논하는 장으로 간주하였다.[28] 작가란 "도덕적인 화가"(*Edgar Huntly*, "Preface" 641)라고 한 브라운은 자기 소설이야말로 신생 공화국 미국의 모든 이념과 문제를 복합적으로 조망할 수 있는 장으로 간주했었다. 미국 독립혁명American Revolution 이후 빠르게 변화하는 신생국의 상업화되는 사회에서 작가로서 입신을 결심했던 그가 그 꿈을 접고 다른 방향으로 선회할 수밖에 없었던 갈등이 어느 작품보다도 이 소설에 잘 드러나 있다. 브라운은 『아서 멀빈』 2부를 발표한 다음 두 편의 소설과 미완성 작품을 발표했으나, 결국 소설가의 길을 포기하고 잡지의 편집장으로 삶의 방향을 전환하였다. 브라운은 그의 모든 소설에서 자신만큼이나 사회경제적 입지가 불안한 인물을 그린다. 그의 소설은 주인공의 체험을 미국이라는 신생국의 상황과 연결시키고 있는데, 처음 두 장편인 『윌랜드』(*Wieland; or, The Transformation; An American Tale*)와 『오몬드』(*Ormond; or, The Secret Witness*)가 비정상적인 심리, 유동적 정체성, 소외된 개인의 심각한 갈등

28) 그의 정치적 입장에 대한 의견은 대체로 둘로 나누어진다. 첫째, 그가 인간의 선함과 완전함, 전원적인 삶에 대한 확신, 토마스 제퍼슨의 이상주의를 신봉하고 프랑스 혁명을 지지하는 사람으로 보는 견해와 인간성에 대한 회의, 법과 질서를 유지하기 위한 정부 통제의 필요성을 지지하고 프랑스 민주주의의 극단성과 종교의 전통적인 의미와 위치가 해체되는 것에 대한 두려움을 지닌 연방주의자라는 주장이다. 대부분의 비평가들은 이 시기가 브라운의 인생에서 전환기였다는 데는 동의한다(Chapman 20).

을 보여준다면 『아서 멀빈』과 『에드거 헌틀리』에서는 점점 더 발전하는 미국 사회와 파편화되는 개인주의 실상을 보여주기 위해 보다 깊이 사회 안으로 들어간다. 결국 브라운은 소설을 창작하면서 자신이 알기를 원했던 것보다 자신과 미국 사회에 관해 더 많은 것을 알게 되었고, 그의 모든 작품들은 급진적인 변화가 진행되는 사회에서 작가가 겪은 갈등과 사투의 결과라고 할 수 있다.

주인공 아서 멀빈은 브라운이 창조한 다른 인물들처럼 기본적으로 미성숙에서 경험의 세계로 나아가는 젊은이의 성인의식을 다루는 교양소설의 주인공이라고 할 수 있다(Cohen 363, Davidson 227). 이 소설이 성인의식을 다루고 있다면 아서는 브라운의 다른 주인공들과는 다르게 가족이 살해되거나 화재로 집을 잃는 것과 같은 혹독한 체험을 하지 않고, 미국 땅을 떠나지도 않으며, 그의 재정난을 해결해줄 수 있는 부유한 여자와의 결혼으로, 안정적으로 무사히 제도권 사회로 들어가는 것처럼 보인다. 하지만 농촌과 도시를 왕래하면서 겪는 그의 모험은 그가 도대체 누구이며 어떤 인물인가 하는 의문을 품지 않을 수 없게 하며, 유럽에서 온 '엄마'good mamma라고 부른 여자와 결혼하겠다는 그의 결정 역시 문제를 안고 있다.

비평가들로부터 브라운이 창조한 인물 가운데 가장 긍정적인 인물이라는 평가에서부터 이기적인 사기꾼에 지나지 않는다는 비난을 받는 아서는 브라운이 창조한 어떤 인물보다도 정체를 규명하기 어려운 인물이다. 바로 이런 점이 이 소설이 지니는 기교적인 단점에도 불구하고 이 작품에 대한 흥미를 유발하고 있다. 이 글은 작가가 어떤 연유로 이렇게 정체를 규명하기 어려운 인물을 창조하게 되었는지, 아서를 통해 자신의 딜레마를 어떻게 해결하고자 했으며 자신의 선택을 어떤 식으로 투영하고 있는

지 알아보고자 한다. 또 브라운이 미국 사회에 가하는 비판과 그가 우리에게 요구하고 있는 바를 찾아보고자 한다.

2. 모호한 정체성

1793년 의사 스티븐스Dr. Stevens는 어느 날 저녁 집으로 돌아오다 자기 집 벽에 기대어 서 있는 병색이 완연한 젊은이를 보고 깜짝 놀란다. 그를 집으로 데려와 간호를 해준 스티븐스는 건강을 회복한 젊은이에게서 그가 했던 모험 이야기를 듣는다. 그렇게 시작되는 이 소설은 시골 청년이 명성과 부를 얻기 위해 도시로 오는 벤저민 프랭클린식의 자수성가 이야기의 변주를 제시한다. 『아서 멀빈』의 플롯은 전형적인 브라운 방식으로 전개된다. 체스터 군Chester County에서의 어린 시절부터 시작되는 여러 가지 에피소드와 거짓 외관과 혼란스러운 정체성, 남발되는 우연의 일치로 혼란스러운 이 소설의 복잡한 플롯은 결국에는 기존 제도의 붕괴와 복원의 시도, 빠르게 변화되는 위협적인 상업 세계에서 생존을 위한 개인의 외로운 투쟁이라는 중심 주제를 둘러싸게 된다.

브라운은 아서라는 인물에 초점을 맞춘다. 이 소설의 관심거리는 주인공 아서의 도덕성과 목표의 불확실성에서 비롯되며, 근본적인 문제는 독립하기 위해 대도시로 나온 그의 행동이 지니는 도덕적 진지함에 관한 것이다. 브라운은 동생에게 보내는 1799년 편지에서 『아서 멀빈』의 주인공은 "미덕의 주인공으로 타인에게 이롭고 자기에게 행복을 주기 위해 부자일 필요가 없는" 사람으로 설정하겠다고 밝힌 바 있다(Watts 103). 그러나 이 소설의 텍스트는 아서의 말과 행동이 지니는 이타성과 자기희생을 의문시한다. 선한 인물과 악한 사기꾼이라는 주위의 엇갈리는 평 사이에서 주인공의 성격은 복합적이고 유동적이고 파악하기 어렵다. 스티븐스의 친구 워틀리Mr. Wortley는 아서를 가혹하게 비난한다. "웰백Thomas Wellbeck이라는 뛰어난 선생 밑에서 사기 치는 교육을 받은 교활한 사기꾼이며, 그가 한 이야기는 수치스럽고 겉만 그럴듯한 거짓말의 연속"(423)이라는 것이다. 이 소설의 화자인 스티븐스는 아서에 대해 믿음을 지니고 있지만, 대부분의 주위 사람들은 그를 "교활한 사기꾼", "나쁜 자식", "영리한 건달", "사기꾼 악당"이라고 하면서 그의 정직성과 진지함을 의심한다. 브라운의 이야기에 내재된 이렇게 상반되고 다양한 견해는 아서에 대한 비평가들의 평가들과 면밀하게 평행을 이룬다.[29]

어느 한 쪽으로 분명하게 규명되지 않는 아서의 모호한 정체성을 설명할 수 있는 실마리 가운데 하나는 그의 고립과 외로움이다. 아서가 고향에서 필라델피아로 떠날 때 그는 모든 유기적인 연결고리를 상실한다. 어머니가 돌아가신 뒤 아버지가 재혼하면서 집을 떠나야 했던 아서의 모습은 교회도, 결혼 제도도 전통적인 감정적 유대를 유지하는 데 도움이 되지 못한다는 것을 보여준다. 아버지가 돌아가신 뒤 아서는 자기 처지를 이렇게 토로한다.

> 친척이 완전히 없다는 것이 외로움을 만들 만큼 나는 이제 세상에서 혼자였다. 피를 나눈 사람이나 내 성을 지닌 사람은 세상 이편

---

29) 많은 비평가들이 아서의 인물 됨됨이에 관해 의견을 개진하고 있다. "완전한 거짓말쟁이며 사기꾼"(제인스 러소James Russo), "도덕적인 사기꾼"(워너 버토프Warner Berthoff), "자기규명과 성공을 추구하는 모호한 젊은이의 전형"(제임스 저스터스James Justus), "카멜레온 같은 위선자이거나 사기꾼"(노먼 그라보Norman Grabo), "어리석고 급진적인 순진한 젊은이"(R. W. B 루이스R. W. B. Lewis), "억압되고 비도덕적인 신경증환자"(윌리엄 헤지스William Hedges).

> 에서는 찾을 수 없었다. 어머니 쪽의 친척에 대해서 나는 아무도 모른다. 우정이나 신세를 주장할 수 있는 한도 내에서 그들은 내게 존재하지 않는다. 나는 보호나 충고, 재산에 관련해 친척으로부터 나오는 이득이 전혀 없었다. 내가 지닌 유품이나 장신구 어떤 것도 내 가족의 기억을 지니고 있는 것은 없었다. 늘 다녔던 들판과 내가 태어난 방도 과거의 흔적은 없었다. 그것들은 모르는 이의 재산과 집이 되었다. (587)

소외된 아서의 처지는 그가 농촌과 도시 사이에 매달려 있는 위치로 인해 더 강조된다. 이야기가 진전될수록 아서는 농촌이나 도시 어느 곳에도 의미를 찾지 못하고 더 애착을 느끼지 못한 채 방황한다. 때로는 "타락과 위험" 때문에 "도시는 내가 살 곳이 아니다"(271)고 도시를 혐오한다. 예전 시골에서의 삶이 그에게는 "수천 가지 매력"을 지니고 농사가 건강과 자유와 즐거움에 좋다고 하면서 "시골이야말로 나의 유일한 피난처"(336)라고 한다. 그러나 실제로 그는 농사일에 흥미가 없고 시골에서 자기는 "어린애같이 무지하고 다듬어지지 않고 호미질에도 미숙한 사람"(626)이라고 고백한다. 아서는 도시와 농촌 어느 곳에도 적응하지 못한다. 그에게 "도시가 비참함과 악의 온상이라면 이와 비슷하게 도시는 기특하고 정력적인 정신의 땅이기도 하다"(494). 결국에 가서 아서는 시골과 도시 둘 다 거부하고 미국 사회가 제공하는 모든 도피처를 거부한다. 자기만의 신념으로 세상과 미주하면서 그는 이런 주장을 한다.

> 우리 자신의 눈은 인간 행동의 개념만을 전달할 수 있다. 관습, 직업, 사회제도의 영향은 직접적인 관찰을 통해서만 알려진다. 그것들의 가치와 이익은 모든 곳을 시도해본 사람, 모든 계층과 어울려본

> 사람, 모든 상황에 참여해본 사람, 다른 지역과 기후와 나라를 방문 해본 사람만이 즐길 수 있다. (495)

이 젊은이는 누구의 방해도 받지 않고 자신만의 의미를 만들려는 결단력을 지니고 이 세계를 홀로 부딪치고자 한다.[30]

아서가 말하는 자기만의 의미는 사회적 성공을 하고자 하는 개인주의에서 비롯된다. 아서가 피력하는 이 신념은 세속적이고 도덕적인 발전, 개인적인 독립이라는 메시지를 지니는 벤저민 프랭클린의 발자취를 따르는 것이다. 스티븐스가 "아서는 자기 스스로 관찰하고 생각하는 특권을 버릴 수가 없었다"(238)고 한 것처럼, 아서는 스스로 인생의 계획을 세우고자 "나의 좋은 점을 키우고 모든 단점을 없애기 위한"(414) 도덕적인 자기 개선 프로그램을 맹세한다. "인생이란, 의무라는 대의에 작은 희생을 하는 것"(415)이라고 믿는 그는 자기가 세운 이상에 이르지 못할까 봐 두려워한다. 자신이 정직하고 한결같은 사람이라고 생각하며 선의가 없는 것은 어떤 일도 할 수 없다고 믿는 아서는 사회적 양심가의 면모를 드러낸다. 도시병원에서 황열병 환자들이 끔찍한 처우를 받는 것을 보고 그 상황을 개선하기 위해 그는 로디Vincentio Lodi의 원고 속에서 발견한 2만 달러를 기부하겠다는 생각을 한다. 후에 그는 빚쟁이 감옥에 있는 웰백을 방문했을 때에도 피폐한 감옥 여건에 괴로워한다. 경험이 없고 어린 엘리자Eliza Hadwin와 결혼할 수 없다 하면서도 그녀의 거처를 찾아주려고 노력

---

30) 톰킨Jane Tompkin은 『아서 멀빈』을 시민의 미덕과 도시의 상업적 질서를 위한 연방주의자의 정치적 호소로 읽는다. 브라운은 방종한 개인주의에 대해 비판하고 있으나, 그는 질병이 만연한 도시의 타락한 상업화 비판에 더 무게를 두고 있다. 그러나 아서의 고립과 불확실함은 톰킨이 인정한 것보다 소설 전체에 더 확산되어있다.

하며 웰백에게 버림받은 클레멘자 로디Clemenza Lodi의 거처를 마련하는 데에도 적극적이다. 그리고 수전Susan Hadwin을 위해 그녀의 약혼자 월레스Wallace를 찾기 위해 황열병이 창궐한 필라델피아로 떠난다. 이런 아서의 모습은 벤저민 프랭클린 같은 사회개혁가의 모습이다.[31] 그는 스스로의 힘으로 입신하고자 하는 심정을 이렇게 토로한다.

> 내 정신은 드높았고 앞에 있는 햇살과 번영만을 보았다. 나는 행복이 자연의 순환이나 인간의 변덕에 달려있는 것이 아니라고 생각한다. 외부의 모든 것은 변덕스럽고 불확실하지만 내 마음속에는 흔들리지도 않고 없앨 수도 없는 중심이 있다. (512)

이런 아서의 태도는 자기 발전의 디딤돌로 웰백을 만나거나 스티븐스를 의사 도제 수업을 받을 수 있는 기회로 생각할 때처럼, 아서로 하여금 좀 더 높은 사회적 지위를 얻기 위해 노력하도록 만든다. 물론 다른 한편으로는 이런 진지한 행동이 아서의 가면이고 그는 가면 쓰는 게 특기인 출세주의자일지도 모른다는 의구심을 불러일으킨다.

아서는 자기가 순수하다고 주장하지만 언제나 타락한 세계에 연루되어 있다. 모사꾼과 사기꾼으로서 아서의 이미지는 이타적이고 착한 면과 계속 병행된다. 많은 인물들이 아서의 정직하지 못한 점에 대해 언급하고

---

31) 대니얼 코헨Daniel Cohen은 아서 멀빈이 벤저민 프랭클린을 상기시킨다고 하면서도, 두 인물의 차이를 이렇게 지적하고 있다. 벤 프랭클린이 자기 그룹의 리더였고 그의 공적은 자발적인 관계로 맺어진 동료 시민들을 조직하는 그의 능력에 있다면, 아서는 학교에도 잘 나가지 않고 또래들과 어울리지 못한 소외된 사람이었다는 것이다(378). 제임스 저스터스James H. Justus 역시 이 두 인물의 유사성과 차이점을 지적한다(3).

있는데, 앞에서 거론했던 것처럼 스티븐스의 친구 워틀리뿐 아니라 시골 체스터 카운티의 이웃 아소프 부인Mrs. Althorp 역시 아서가 "무기력하고 게으르며 쟁기질을 싫어하는 만큼이나 학교도 싫어했었다"(440)고 비난한다. 그녀는 아서의 아버지와 결혼한 베티 로렌스와 아서가 성적 관계가 있었다는 점을 암시하고 아서가 아버지의 말 판매 대금을 훔쳐 필라델피아로 갔다고 하지만, 스티븐스는 고집스럽게 아서의 결백을 믿는다. 그는 "멀빈이 나를 속였다면 인간에 대한 나의 믿음은 끝난 것이다. 모든 것이 위선이고 선과 악의 구분이 사라질 것"(453)이라고 주장한다. 스티븐스는 아서에 대한 신뢰를 잃지 않으며 그의 행동은 의심스러울 수도 있으나 "얼굴은 정직한 정신의 도표"(436)라며 아서를 믿는 마음에 흔들림이 없다.

아서는 자신에 대한 비난에 대해 변명하지 않는다. 그는 웰백이나 베티와의 관계가 다른 이들에게 좋지 않게 보였을 거라고 인정하지만, 그것을 잘못된 인상이나 우연의 일치 탓으로 돌린다. 때로 그는 "나를 판단하는 것은 정말로 어렵고 모호하다"(508)고 하면서 거짓된 인상을 만든 자신에 대해 자랑스러워한다. 더 혼란스럽게 아서는 어떤 행동이라도 정당화시키는 편의주의적인 도덕률을 보인다. "나의 행동은 모호하고 모험적이고 신중하지 못할 것이다. 하지만 내 동기는 말할 필요 없이 순수하다"(268)는 그는 목적이 수단을 정당화하는 감수성을 발전시킨다. "지식의 도움을 받지 않는 선의는 이득보다는 해를 더 많이 만들 수 있다"면서도, 한편으로 "우리의 지식이 늘거나 줄거나 상관없이 우리는 서둘러 행동에 옮겨야 한다"(523)고 앞뒤가 맞지 않는 주장을 한다. 그런 사고방식은 본인에게는 위안이 될지 몰라도 그를 비난하는 이들이 제기하는 사기성 문제에는 만족스러운 대답이 되지 못한다. 아서가 의심받는 이유의 일부는 그가 자기 행동의 의미를 자신만의 방식으로 양심과 의식을 판단하는 데 있다. 아서는 자신의 도덕적 본능에 근거해 자기 권리를 주장한다.

이러한 그의 태도는 이 소설의 중심 문제, 즉 주인공이 도덕적으로 선하며 진지한가, 그가 하는 이야기는 진실한가 진실하지 않은가라는 문제에는 답이 되지 못한다. 어떤 면에서 아서는 거짓말과 도둑질, 사기, 표절, 유혹을 일삼는 것처럼 보인다. 이는 단순한 착각이 아니라, 모든 것을 혼자서 결정하는 아서의 고립된 상황이 그의 행동이 선명하지 않다는 점을 더 부추긴다. 그는 위험하고 낯선 세계를 떠돌면서 도덕성을 포기하지 않고 그것을 추구하고 있다. 자기만의 가치, 안식처와 의미있는 것을 추구하면서도 사회적 성공을 열망하고 도덕적 태도를 동시에 견지하고자 하는 그는 단순히 부모를 잃은 고아 이상의 도덕적이고 사회적 존재이기도 하다.

전염병이 휘몰아치는 필라델피아를 헤매는 아서의 행로는 그의 무지와 순진함을 드러낼 뿐 아니라, 파악할 수 없는 의문으로 가득 찬 그를 보여준다. 그는 이타적 태도와 자기 이익, 희생과 야심 사이를 왔다 갔다 한다. 예를 들어 엘리자와의 결혼 가능성을 타진해볼 때 그녀의 빈한한 환경을 의식하면서도, 한편으로는 그렇게 생각하는 자신에 대해 죄의식을 느끼고 "끝없는 야망과 무한한 부에 대한 욕망은 경멸스럽고 경박하다" (437)고 자신을 꾸짖는다. 아서는 도시가 개인에게 가하는 압력과 요구에 종종 자기 연민에 빠져든다. "자기 집을 떠나 어린 시절의 추억을 뒤에 남겨둔 사람은 혁명적이고 위험한 세계에 들어가게 되는가?"(530). 아서는 자기의 문제를 명확하게 알지 못한다. 불확실하고 속임수 가득 찬 필라델피아에서 선과 악, 옳고 그름의 의미는 분명하지 않다. "나는 선하지 않은 목적을 가질 수 없다. 그러나 목적을 위해 사용하는 수단과 과정에서 많은 실수를 했다"(529)고 털어놓는다. 그러나 좋은 일을 하고자 했던 그의 의도에 대한 다른 이들의 오해와 그를 고립시키는 환경은 아서를 개인적 붕괴의 벼랑으로 몰고 간다. 그는 정체성이 분열될 정도로 내부로부터 무너질 수 있는 위기를 여러 번 맞는다. "내 행동을 돌아보는 것보다 나를 혼란스럽게 하는 것은 없다"(540)고 할 정도로 자기 행동이 일관적이지 못한 것을 인정한다.

알소프 부인을 비롯한 이웃들이 아서를 비난할 때 그는 내면의 혼돈과 분열을 드러낸다. "그들이 싫어하고 경멸하는 것은 내가 아니다. 그것은 내 이름으로 통하는 유령이다. 그것은 그 사람들의 상상 속에 존재하고 그들의 경멸과 반목을 받을 만하다"(538)고 아서는 그들이 비난하는 자신을 분리시켜 그것이 마치 자기가 아닌 듯 바라본다. 이 소설 결말에 아서가 아샤 필딩Asha Fielding과의 결혼 가능성으로 갈등할 때, 그는 자신의 혼란과 대면하는 끔찍한 악몽을 꾼다. 그는 "나의 도덕성에 잠재된 잘못이 나를 파괴하기 위해 끓어올랐다"고 두려워한다. 자기 내면을 들여다보며 아서는 끔찍한 환상 앞에 뒤로 물러선다. 꿈을 통해 깊숙이 숨겨진 "그 자체 속에 상실된 정신, 당황스럽고 뿌리 뽑힌, 끔찍한 광기에 함몰된 자신의 정신"(628)을 대면한 아서는 치명적인 사회 환경에 처한 무능하고, 근본부터 흔들리는 젊은이의 모습을 드러낸다.

3. 대도시와 황열병

"1793년의 기억"Memoirs of the Year 1793이라는 이 소설 부제가 구체적인 시간과 사건을 언급하고 있듯이, 브라운은 필라델피아에 황열병이 닥친 당시의 상황을 정확하고 치밀하게 그려냄으로써 위험 속에 생존해야 하는 주인공의 복합적인 이미지를 보강한다. 이 소설에서 그려지는 독립 혁명 후의 필라델피아는 크레브커St. John De Creuvecoeur가 『미국 농부의 편지』(*Letters from an American Farmer*)에서 말하는 구세계의 제도적인 악이 존재하지 않는 희망 넘치는 신천지는 아니다.

이 도시에 무슨 일이 일어나는가에 대한 첫 암시는 아서가 도시에 발을 들여놓는 순간 발생한다. 시골에서 갓 벗어난 그는 무례한 여관주인에게 속는다. 그다음 거리에서 만난 젊은이에게 속아 남의 집 다락방에 갇히게 되고 그 집 주인의 사기 계획을 엿듣게 된다. 모든 옷가지와 신발까지 벗어놓은 채 빠져나온 아서는 사기꾼 웰백의 수하로 들어가게 된다. 웰백은 아서를 부자에게서 많은 돈을 후려내려는 대리인으로 이용한다. 이런 일련의 사건들은 이 도시의 이미지를 사기와 이기적인 야심이 횡횡하는 비정한 곳으로 만들어 버린다.[32] 필라델피아의 '불협화음', '건전치 못한 일자리', 그리고 '지루한 사람들'에 압도되고 매일 "열정을 좌절시키고 결정을 그르치게 하는 새로운 계략"(398)과 부딪치게 된다고 느낀 아서는 이제 낯선 사람과의 만남에 주의하게 된다. 브라운이 필라델피아를 "별빛 같은 많은 등이 달린, 나프타naptha와 아스파토스asphatos로 빛나는 초승달들이 번쩍거리는"(528) 지옥 같은 도시라고 한 구절을 밀턴John Milton의 『실낙원』(*The Paradise Lost*)에서 차용해왔다는 것은 의미심장하다(Axelrod 191). 속임수가 난무하며 자기들의 이익만을 챙기는 험한 사회를 그리면서 브라운은 상업적 거래가 초래하는 파괴적인 결과에 초점을 맞춘다. 브라운에게 변화무쌍한 상업 세계는 사람들이 이익만을 추구하기 때문에 사기와 거짓의 온상과 같다. 소설에 등장하는 한 상인의 말을 빌

32) 1790년대에 벤자민 러시Benjamin Rush의 『비망록』(*Commonplace Book for 1789-1813*)은 유동적 재산의 끔찍할 정도의 변동을 그린 브라운의 묘사가 과장되지 않았다는 것을 보여준다(Cohen 367).

리자면, 지금은 "상업적인 불안감과 혁명"의 시대이다. 그곳에서는 일생 동안 모은 재산이 "한 번의 거친 폭풍에 날아가거나 네 번의 펜 놀림으로 사라져버릴지도 모른다"(427). 소설 전체를 통해 왓슨Watson의 사취 행위, 클레멘자 로디의 횡령당한 유산, 웰백과 세포드Thetford의 사기 계획처럼 도시의 상업 거래와 자금은 사기와 죽음으로 오염된다. 브라운은 스티븐스를 통해 이익을 좇는 탐욕스러운 사람들을 비난한다.

> 그들 가운데 한 사람은 돈을 통용의 수단이 아니라 상품 그 자체로 이용한다. 그는 술통이나 곤포를 오늘은 100달러에, 내일은 110달러에 교환하는 것은 시시한 거래라고 생각한다. 종이 한 장을 100달러를 주고 사서 그는 그 종이로 환전상에 가서 123과 3/4달러를 확보할 수 있다. 간단히 말해서 그 사람의 금고는 정직한 사람들의 절망과 사기꾼들의 전략으로 채워진다. (434)

실물이 아닌 화폐를 이용한 투기꾼과 도박꾼 같은 상인들이 난무하는 사회에서 정직한 사람과 정당한 노동은 파멸되는 듯이 보인다.

상업적인 계산과 거래에서 비롯되는 가장 큰 위험은 단순한 사기 행위 이상으로 훨씬 더 미묘하고 교활하다. 이 소설을 통해 브라운은 대도시 필라델피아에서는 모든 거래에 수반되는 속임수와 불신이 이미 사람들의 시선을 끌지 못할 정도로 거의 일상적인 일이 되었다는 것을 암시한다. 아서 자신은 이 불친절한 도시에서 사람들의 정체를 파악하고 어떤 일이 일어나는지 알아보기 위해 돌아다닌다. 상업화된 필라델피아에서 모든 사물과 사람은 겉으로 보이는 대로는 아니다. "부드러운 외관, 미덕의 표현, 허울 좋은 이야기는 사람들의 대화에 능숙하고 미묘하게 수천 번 드러난다. 사악함은 때로는 모호하다. 그 가면은 보는 이를 혼란스럽게 하고 우리의 판단은 비틀거리고 흔들릴 수 있다"(429). 가면을 쓴 것처럼 외관과 내면이 전혀 다른 인물들이 도처에 출몰하는 상업 도시 사람들은 자신들을 보호하기 위해 서로에게 용의주도한 전략을 가지고 접근하고 사람들 사이에는 불신이 짙게 드리워져 있다. 아서의 도덕적인 모호함은 바로 사회의 도덕적 오염을 반영하고 있는 것이다. 아서는 "동굴 속에서도 깊은 숲속에서도 이만큼 외로움을 느낀 적이 없다"(317)고 토로한다.

상업화된 병든 사회라는 이미지는 이 소설에 압도적인 그림자를 던진다. 브라운에게 황열병은 도덕적인 오염을 상징하는 사회적, 생물학적 질병을 의미한다. 이 도시의 타락을 나타내는 사회적 질병이라는 비유는 이 소설을 지배하는 상징, 즉 1793년 필라델피아를 초토화시킨 황열병이라는 전염병에서 가장 잘 반영된다. 인명과 사회제도를 황폐화시키는 질병은 주인공의 행로에 우울한 배경이 되고 좀 더 넓게는 황열병이 확산되면서 발생하는 "혼돈과 공포"는 무절제한 개인의 탐욕과 파편화된 도시 공동체에 대한 반응으로 복제된다.

> 어떤 이는 자기 집에 칩거하고 다른 이들과의 모든 의사소통을 차단한다. 다른 이들의 경악스러움은 그들의 이해심을 파괴해버린다. 사람들은 거리에서 병에 걸렸다. 행인들은 그들로부터 도주하고, 병에 걸린 사람들은 자기들의 집에 들어가는 것을 거부당했다. 사람들은 대로에서 죽었다. (346)

황열병이 창궐하는 필라델피아에 대한 사실적인 묘사는 여러 이미지를 불러온다. 사람으로 북적거리던 도시의 "시장"이 이제는 죽음과 어둠으로 덮인 장소가 되었다는 것이다. "귀신같은 옷을 입은 그들은 뒤에서 내게 놀라움과 의심의 눈길을 던졌다. 내가 다가가자 그들은 가는 길을 바꿔

나와 접촉하는 것을 피했다"(356). 열병으로 사람이 죽어 나가는 사회는 모든 거래의 중심이 된 화폐마저도 아무런 가치가 없게 만든다. 아서는 죽어가는 시민들과 함께 필라델피아로 돌아가면서 "나는 돈이 있었지만 마구간도, 빵 한 조각도 살 수 없었다"(375)고 털어놓는다. 매장꾼들이 던진 질문에 겁에 질린 아서는 "내 모습이 매장꾼들을 오해하게 만들어 내가 산 채로 매장당할 뻔 했던 걸 겨우 빠져나온 생각을 하면 온몸이 떨렸다"(349)고 끔찍한 체험을 털어놓는다. 치명적인 질병이 만연한 도시에서 시골로 피신했으나 여기에서도 아서는 도시를 "파괴한 돌풍"에서 자유롭지 못하다. 건강했던 하드윈 가족은 전염병으로 가장인 하드윈 씨Mr. Hadwin와 수전을 잃고 엘리자만 남았다. 이는 무서운 전염병으로 비유되는 도시의 황폐함이 경계를 넘어 시골에까지 미치고 있다는 것을 보여준다 (Samuels 239).

사람 사이의 상호작용이 차단된 차가운 세계는 웰백이라는 인물로 상징된다. 빚쟁이 감옥에서 비참하게 죽어간 웰백은 자기만의 논리에 따라 사는 사람이다. 아서는 "그는 누구이고 무엇을 하는 사람"(292)인지 궁금하다. 그는 웰백의 "차분함과 거드름"이 실제로는 "비참함을 가리는 가면이고 악의 구조물"이라는 걸 나중에 깨닫게 된다. 사기와 속임수의 대가인 웰백은 여러 속임수로 수중에 돈을 넣고 더 큰 계획을 품고 필라델피아에 왔다. 그는 저택과 하인들을 빌려 다른 이들에게 재정적으로 여유 있고 권력이 있는, 정체를 알 수 없는 이미지를 창출해낸다. 이는 부자들을 사기 치기 위한 서곡이다. 아서와 대화에서 그는 자기 능력에 대해 긍지를 드러낸다.

사람들이 내 성격에 대한 판단을 그르치게 하고, 짐작과 추측을 증폭시키지 못하게 하는 나의 능력 가운데 하나라도 모자랐다면 내가 겪은 체험들이 일어나지 않았을 것이다. 갑작스럽게 무대에 나타나는 것, 당당한 침묵, 호화스러운 집, 신중한 행동거지는 사람들이 나를 존중하게 만드는 데 충분했다. 진실을 드러나게 하는 데 이용되는 책략과 나에 대한 추측들은 압도하는 내 열정을 만족시키는 것으로 변화되었다. (315)

웰백과 상류사회 파티에 동행한 아서는 그가 유창한 말솜씨와 매력적인 가면으로 평상시의 태도를 감추는 것을 목격한다. 아서는 "웰백이 유쾌함의 베일 아래 남모르는 고통과 교활한 목적을 가릴 때 그가 자기가 아는 사람과 똑같은 인간이라는 것을 도저히 믿을 수가 없었다"(294). 이렇게 탁월하게 변신하는 능력은 웰백의 사기 계획에 불을 붙인다. 이 사기꾼의 진면목을 보여주는 가장 극단적인 예는 죽은 로디Vincentio Lodi의 원고에서 2만 달러라는 많은 돈을 발견한 아서에게서 그 돈을 돌려받으려 할 때 드러난다. 웰백은 그 돈이 위폐이기 때문에 아무런 가치가 없다고 하며 자기에게 달라고 주장한다. 아서가 웰백의 말을 그대로 믿고 범죄를 저지르지 않기 위해 그 돈을 태워버리자 "미친 자식! 악당! 그런 말도 안 되는 계략에 속다니! 그 지폐는 진짜야"(422)라고 고함치는 모습은 악마와 다르지 않다. 브라운은 오염된 돈과 가면으로 자기 진면목을 가리는, 도덕적으로 타락한 늪과 같은 사회를 웰백이라는 인물로 의인화한다.

웰백의 가면 아래 좀 더 복합적인 인물이 드러난다. 작가는 아서의 또 다른 자아alter ego로 이 악당을 만들었다(Cohen 372, Watts 112). 웰백과 아서 이 두 사람이 여러 면에서 평행을 이루고 연결되어 있는 것은 분명하다. 유년시절부터 그들은 둘 다 힘들고 정직한 노동에 대한 혐오감을 가지고 있다. 웰백은 "힘든 일이나 명령받고 일을 하는 것은 내 성격과 어울리지 않는다"(310)고 고백한다. 아서는 그에게서 "인간성의 원리와 외관의 속임수, 사기 치는 것, 상대방의 사고와 행동, 자연이 인간에게 부여하는 힘"(353)에 대해 배운다. 웰백은 아서가 자기에게 너무 잘 배웠다고 생각한다. 마지막 만났을 때 웰백은 아서를 자기보다 더 교활한 악당이라고 비난한다. "너의 자질은 놀랄 만하다. … 그 순진해 보이는 가면 아래 악하고 잔인한 마음이 숨겨져 있다"(458)고 격노하는 웰백은 아서에게 내재되어 있는 악을 분명하게 노출시킨다. 속임수와 이익 추구를 삶의 방식으로 삼아 온 웰백은 탐욕스러운 개인주의 사회가 만들어 낼 수 있는 악몽을 상징한다. 여기에서 이 두 사람의 차이는 웰백의 악한 정체는 그의 비밀을 드러냄으로써 증명할 수 있으나, 아서의 위선은 그의 행동의 결과로서만 말할 수 있을 뿐이다. 아서에게 희생당했다는 웰백의 주장은 과장되기는 했으나 그가 웰백의 추락에 간여한 것만은 사실이다.

4. 가족의 해체와 복원의 시도

18세기 말 미국 사회의 어두운 자화상을 그려내면서 이 소설은 브라운이 일관되게 다루는 또 하나의 주제, 가족과 남성과 여성이라는 양성 간의 관계를 탐색한다. 개인과 사회제도를 연결하는 관계들에 초점을 맞추면서 브라운은 개인에게 미치는 야심, 속임수, 고립과 같은 파괴적인 힘의 작동을 보여준다. 브라운 소설 속의 남성들은 결혼과 여성에 대한 태도에서 지극히 문제가 많다(Person Jr. 33). 혁명 후 공화국의 진보적인 분위기에서 전통적인 가족, 남성과 여성 관계는 무너지는 듯이 보인다. 브라운의 어떤 소설보다도 이 작품은 문제 많은 가족들을 가장 다양하고 포괄적으로 그리고 있다. 의도한 것보다 훨씬 강력하게, 이 젊은 작가는 공적, 사적 관계의 해체적인 변화를 드러낸다.

어머니가 죽은 다음 아버지의 재혼이 아서로 하여금 고향을 등지게 했다는 것은 이미 말한 바 있다. 그의 아버지는 재혼한 부인에게 모든 재산을 사기당한 뒤 알코올 중독으로 홀로 죽음을 맞는다. 이 소설에는 아서 가족 외에도 많은 가족들의 해체가 등장하는데 웰백, 아샤, 하드윈, 로디 가족이 와해된다. 이 가족들의 해체에 가장들의 죽음이 연계되어있다는 것은 전통적인 가부장적 가족이 무너지는 것을 보여준다. 브라운은 전염병 메타포를 통해 가족의 해체를 좀 더 강렬하게 전달한다. 황열병이 만연한 끔찍한 분위기에서 "공포는 본래 타고난 감정, 정서를 없애버렸다. 부인들은 남편에게 버림받고 아이들은 부모에게서 버림받았다"(456).

가족의 와해는 그만큼이나 문제 많은 남녀 관계에 배경을 제공한다. 도시 시장 사회의 타락은 남녀 간의 상호작용에서 그대로 복제되고 남녀 간의 긴장을 유발하는 파괴적인 사건들이 난무한다. 아서의 누이는 바람둥이 악당 콜빌Colville에게 겁탈당한 뒤 스스로 세상을 등지고, 아샤는 혼외관계를 맺은 남편에게 버림받으며, 베티 로렌스는 아서 아버지를 무일푼으로 만든 뒤 떠나버리고, 수전은 약혼자 윌레스에게 버림을 받는다. 아서와 웰백은 이런 면에서 이 모든 사람들의 선두에 선다. 웰백과 젊은 여자들과의 만남은 속임수와 악용이라는 악의 패턴을 만든다. 실패한 결혼으로부터 도망친 웰백은 왓슨의 결혼한 누이를 유혹한 다음 그녀를 무책임하게 유기해 죽음으로 내몬다. 그는 로디의 여동생 클레멘자 로디의 보호자를 자처하지만, 곧 딸과 같은 그녀를 애인으로 만든 다음 임신하자 매음굴에 팔아넘긴다.

좀 더 큰 관점에서 보면 아서는 웰백의 행동을 양가적이고 모호하게 반영한다. 아서가 베티와 성적 관계를 맺었다는 암시는 아버지와 결혼한 그녀를 창녀라고 비난할 때에 그를 도덕적으로 추락시킨다. 시골 아가씨 엘리자와의 사랑도 기회주의적인 기미를 풍긴다. 아서의 애정은 상대의 집안 운에 따라 동요하고, 변덕스러운 감정과 기회에 따라 춤을 춘다. 결혼을 생각하기에는 엘리자의 지성과 경험이 부족하다는 아서에게 그녀는 이렇게 대꾸한다.

> 당신은 내가 게으르고 누추하다고 생각하는 거 외에 내게 어울리는 게 없다고 생각하죠. 나는 왜 당신 같이 현명하고 활동적이고 용기 있는 주장을 해서는 안 되느냐? 당신은 당신 자신을 위해서만 그 모든 것을 원하지요. 당신은 나를 가난하고 약하고 경멸스럽다고 생각하고 베를 짜고 우유를 젓는 거 외에 어떤 것에도 어울리지 않는다고 여기죠. 내가 비바람으로부터 몸을 가리고 먹고 마실 것만으로 산다면 당신은 만족할 거예요. 정신력을 강화시키고 지식을 늘리는 것에 관해 내가 이야기한다면 그런 것은 당신에게 중요하지만 나한테는 낭비나 마찬가지고 난 그런 재능을 받을 가치가 없다고 당신은 생각할 걸요. (497-98)

아샤와 아서의 관계는 이 소설의 남녀 관계 문제를 집대성한다. 결말 부분에서 아서는 자기보다 여섯 살 연상의 유럽에서 온 과부 아샤와 갑작스럽게 사랑에 빠진다. 아서가 여성적인 미덕, 우아함과 지성의 총체라고 생각하는 아샤에 관한 몇 가지 사실은 인습적이고 감상적 결말에서 벗어나게 만든다. 무엇보다도 아샤의 외모는 문학상의 인습을 어긴다. 아량이 넓은 스티븐스조차도 그녀를 "마녀처럼 추하고, 무어인처럼 갈색이며 쟁기목보다 모양새가 좋지 않고 판유리보다 융통성이 없는"(624) 사람이라고 한다. 더구나 아샤가 영국에서 태어난 유대인이라는 배경은, 아서를 그녀에게서 밀어내는 게 아니라 그녀와의 결혼과 유럽으로의 이주를 부추긴다. 아샤는 아서에게 가족과 성적 불안감으로 인한 오이디푸스 콤플렉스에 대한 해결책이다. "당신은 돌아가신 엄마가 돌아온 것이냐? … 꼭 엄마는 아니야, 뭔가 다른, 좀 더 나은 어떤 사람이다. 만약 그것이 가능하다면 나는 온전히 당신 것이다"(621)고 하면서 그녀의 품에 안기는 것은 아서에게 도피처를 제공한다. 이는 복잡한 가족 문제와 자기주장이 강한 개인주의를 요구하는 사회적 압력으로부터 퇴행하는 것이기도 하다. 자기포기의 기제가 악의적인 부성적 인물 웰백이거나 우호적인 모성적 아샤이건 간에 심리적 퇴행이라고 할 수 있다(Cohen 372). 아서는 여성으로부터 도주하는 미국 남성의 원형이다(Person Jr. 34). 브라운은 주인공의 경험과 성숙에 관한 그의 감정을 여성에 대한 양가적인 태도와 결부시킨다. 이 소설에 나타나는 남성이 여성에 대해 느끼는 갈등과 원만치 못한 남녀관계는 브라운을 호손, 멜빌, 포와 같은 19세기 미국 소설가들의 선구자로 자리매김하게 한다.

브라운은 가족의 복원에 관심이 많다고 지적한 새뮤얼스의 주장대로 (229) 이 소설은 아서와 아샤의 결혼으로 해체된 가족을 복원하고, 자기를 포기하며 유럽으로 행복한 이주를 기대하는 주인공과 함께 종결된다. 18세기 말 미국 사회의 분열, 제도의 실패, 개인의 모순을 그리는 브라운의 해체적인 그림은 유럽에 문화적으로 항복하는 기조로 끝이 난다. 린지 Donald Ringe는 브라운의 원래 계획은 아서를 엘리자와 결혼하게 한 다음 도시와 농촌의 갈등에서 농촌에 비중을 더 두려고 했다고 주장한다(73). 엘리자가 필라델피아로 들어오고 아샤가 이 소설에 등장했을 때, 아서의 선택은 도시와 시골의 문제가 아니라 미국과 유럽의 선택 문제로 전환한다. 농촌 출신 엘리자가 도시로 이주해 적응하는 것은 미국의 전원과 도시의 최선의 조합을 나타낸다. 그러나 아서는 유럽인인 아샤를 선택한다. 아서보다 6년 연상인 아샤는 코스모폴리탄적인 배경과 체험, 세련된 매너와 풍부한 지성, 그리고 부를 가지고 있다. 아서의 선택은 미국적 삶의 황량함을 불평하는 작가들, 쿠퍼Cooper, 호손, 제임스Henry James와 같은 수많은 미국 작가들을 연상케 만든다. 가난하고 나이 어린 미국인 엘리자는 유럽에서 온 부유한 아샤 필딩과 경쟁할 수가 없다. 아서가 사랑한다고 하자 아샤는 받아들인다. 아서는 자신의 장래에 흥분하고, 이전에 계획했던 의학 공부는 잊어버린다. 결혼할 때까지 글쓰기를 유보하고 "1, 2년 뒤에는 유럽으로 가겠다고 한다"(637).

5. 나가는 말

브라운은 작품을 써 나가면서 자기도 의식하지 못하는 사이에 격렬한 변화가 진행되는 사회로 깊숙이 들어간다. 사기, 타락, 혼돈의 비도덕적인 사회와 맞닥뜨린 아서는 새로운 미국의 개인주의에 관한 복합적인 비전을 제공한다. 브라운은 아서의 행적을 따라가면서 이타주의와 자기 본위가 교차되고, 과도한 자신감이라는 찢어지기 쉬운 가면을 뒤집어쓴 불안한 대중, 확고한 도덕적 입장 없이 탐욕과 자신감 사이에서 방황하는 사람들을 그린다. 자아와 사회의 불안한 병치, 인간 내면에 갈등하는 요소들의 불안정한 균형 잡기는 필라델피아 출신 젊은 작가에게 창조적인 긴장감을 안겨주었다. 브라운이 부상하는 시장 사회의 파편화된 가면에 대해 예리한 질문을 던지면서 그가 느낀 긴장은 놀랄 정도로 빠른 시간에 네 편의 장편을 집필할 영감을 불러일으켰다. 개인적으로 겪은 갈등을 투사한 브라운의 소설은 개방화되는 공화국의 공적인 병리학에 놀라운 해부도를 만들어냈다.

『아서 멀빈』 1부를 쓴 다음 브라운은 인디언들만이 다니는 황야를 헤쳐 나와 백인 정착민의 문명사회로 복귀한 모험을 그린 『에드거 헌틀리』를 집필한다. 에드거는 이전 소설의 주인공들과는 다르게 유럽으로 떠나지도 않으며 미국에 살아남는 결말을 맺고 있으나 주위 모든 사람들로부터 고립되어 홀로 남는다. 『에드거 헌틀리』에서 미국인으로 뿌리내리기 위해 치러야 하는 대가를 탐색했던 브라운은, 그의 실질적인 마지막 소설이라는 『아서 멀빈』에서 주인공에게 좀 더 편안한 결말을 마련해준다. 입신출세를 원하는 주인공에게 유럽에서 온, 지적으로 우월하고 부유한 여성을 아내로 제시한다. 탐욕적이고 사기가 횡행하고, 전염병에 많은 사람들이 희생되는 거친 대도시에서 법률가가 되는 것을 접고 작가가 되고자 했던 자신의 고충에 대한 희망 사항을 작가는 아서 멀빈에게 투사하고 있는 것이다.

그의 짧은 문학 경력에 『아서 멀빈』은 특별한 자리를 차지한다. 그는 이 작품을 다른 어떤 소설보다 오래 걸려 완성했다. 이 소설이 그의 대표작은 아니지만 미국에서 작가로 살고자 했던 브라운의 딜레마를 가장 잘 드러낸다. 브라운의 소설들이 미국 소설의 미래를 예시한다고 평가되어왔다는 점을 생각할 때 『아서 멀빈』은 그의 단점이 가장 잘 드러나는 작품이 아니라, 브라운이 미국 사회에서 느낀 희망과 좌절, 미국 사회에 대한 비판이 가장 잘 녹아있는 작품이라고 할 수 있다. 그는 아서를 통해 도덕적으로 규명하기 어렵고 빠르게 변화하는 상업사회에서 입신하기 위해 노력하는 젊은이는 타인의 눈으로 볼 때 어떤 인물인지 규명하기 어렵다는 것을, 그리고 아서의 모호성은 바로 사회의 도덕적인 모호함을 반영하는 것이라는 점을 보여준다. 신생 공화국에 대한 긍지와 사랑과 구대륙의 악습이 횡행하는 사회에 대한 비판 사이를 오갔던 작가로서는 아서와 같은 인물을 창조할 수밖에 없었고 미국 사회에서 아서와 같은 인물이 스스로의 힘으로 자립해 출세하기에는 이 사회가 너무나 타락했음을 절감한 작가는, 아샤와의 결혼이라는 현실감이 결여된 마무리를 선택한다. 이 두 사람의 결합은 국민문학을 주장한 작가로서는 아이로니컬한 결말이다. 사회적 질병이 만연한 미국 사회에서는 이미 벤저민 프랭클린이 이룬 자수성가는 불가능에 가깝다는 것을 인정하는 것이기도 하다. 브라운은 우리에게 아서와 주위 인물들이 파악하지 못했던 그들 행동의 의미를 판단해주기를 기대한다. 브라운이 아서에게 마련해준 현실성이 결여된 행복한 결말은 사실 당대 사회에 대한 심오한 비판을 제기한 것이었으며, 작가의 길을 접을 수밖에 없었던 자신의 절망에 대한 우회적인 표현이었다는 것을 우리가 인식해주기를 요구한 것인지도 모른다.

『클라라 호워드』와 『제인 탈봇』:
미완의 혁명과 여성 문제

1. 이전 소설의 계승

브라운이 『클라라 호워드』(*Clara Howard; In a Series of Letters*)와 『제인 탈봇』(*Jane Talbot; a Novel*)에 관한 구상을 하고 있을 때 동생 제임스James Brown로부터 다음 작품은 "『에드거 헌틀리』가 지니는 우울함과 자연스럽지 못한 사건"에서 벗어나는 것이 좋겠다는 내용의 편지를 받았다. 그는 동생의 의견에 전적으로 동의하지는 않았으나 대부분의 독자들 역시 동생과 비슷한 생각을 했을 것이라는 점은 알고 있었다. "그것은 우울한 톤을 버리고 유쾌한 톤을 취해야 하고 적어도 엄청나고 기이한 사건 대신 도덕적인 문제나 일상적인 사건으로 대체할 이유가 된다. 나도 그런 우울한 기조에는 다시 빠져들지 않을 것이다"(Dunlap II 106)라고 토로한 바 있다. 이런 결정은 문화적으로 척박한 신생국에서 작가로 생계를 벌겠다고 작정한 사람으로서 부딪쳤던 현실에 근거한 것이었다.

브라운은 보다 넓은 독자에게 다가갈 수 있는 소설을 쓰고자 했는데 언뜻 이는 이전의 그의 소설과 완전히 다른 방향으로 선회한 것으로 생각될 수도 있었다. 그가 이전 소설들에서 다루었던 초자연적인 현상이나 복화술, 몽유병, 황야에서의 인디언과의 전쟁같이 고딕적인 세계에서 벗어나 가정과 애정 문제를 다루는 감상적인 소설로 전환한 것으로 보인다. 문필가로서의 브라운의 삶은 대체적으로 초기 급진주의에서 후기 보수주의로, 그리고 중산층의 순응주의로 변화되어간 것으로 평가되었는데 이런 논의를 할 때 항상 언급되는 작품이 『클라라 호워드』(*Clara Howard; In a Series of Letters*)와 『제인 탈봇』(*Jane Talbot; a Novel*), 이 두 소설들이다.

이 두 소설은 브라운 연구에서 오랫동안 제외되었는데, 가장 큰 이유는 이전 소설들이 보여주는 고딕 모드에서 벗어났다는 데 있었다. 브라운이 고딕 형식을 포기한 것은 초기 급진주의와 미혼 시대와의 결별을 알리는 열쇠로 간주되었고, 동시에 그의 소설이 가정화되고 센티멘털해졌다는 것이다. 『클라라 호워드』와 『제인 탈봇』은 흔히 이전 소설이 보여주었던 실험적 기법에서 벗어난 것으로 평가되어 이들 소설이 지니는 성숙함이나 매끄러움에도 불구하고 브라운이 창조적이고 혁신적인 글쓰기를 포기했다는 것을 상징하는 작품들처럼 되어버렸다.[33]

---

33) 1960년 피들러Leslie Fiddler는 미국 소설에 끼친 리차드슨Samuel Richardson의 영향과 연결해서 이 두 소설을 평했는데, "브라운은 가정을 배경으로 감상적인 분석을 요하는 리차드슨과 비슷한 소설을 창조하기 원했다"고 주장하면서, 브라운이 "겸손함을 목표로 해 재미없는 소설을 만들어냈고 기이한 사건을 피하면서 생기 없는 세계로 빠지게 되었다"고 평가했다(76). 그라보Norman Grabo 역시 브라운이 잘 쓸 수 있는 유일한 소설은 처음 발표한 네 편의 장편에서 그린 세계라고 하면서, 그 패턴에서 벗어난 다른 소설들은 그런 이유 때문에 실패했다고 주장한다(130). 워팰Harry Warfel 역시 "『클라라 호워드』에서 브라운은 가장 분명하고 매력적인 내용

브라운이 여성 소비자가 주류를 이루는 출판시장에서 팔리는 소설을 쓰려고 했거나, 또는 결혼이라는 중산층의 전통적인 제도에 승복 당했거나 간에 브라운은 이전 소설의 남성적이고 지적인 남자 주인공과 같은 인물이 아니라 『클라라 호워드』와 『제인 탈봇』에 등장하는 여성화된 남자 주인공처럼 결혼과 돈, 센티멘탈리티에 항복한 작가로 평가되어 브라운은 미학적인 면에서나 사상적인 면에서 모두 후퇴하기 시작한 것으로 인식되었다(Burnham 260).

그러나 좀 더 꼼꼼하게 들여다보면 이들 두 소설이 보여주는 변화는 이들 비평가들이 주장하는 만큼 크지 않다. 브라운이 발표한 완성된 소설 여섯 편은 4년이라는 짧은 시기에 발표된 것으로, 1799년부터 1801년까지 폭발적으로 글을 발표하던 시간에 연달아 작업한 것이다. 이렇게 짧은 시간 안에 완성된 소설들은 브라운의 초기 소설 전통을 잇는 연장선상에 있다고 하는 편이 더 타당할 것이다.

브라운에 관한 비평가들의 관심이 본격화되기 이전의 초기 비평가들도 이 두 편의 소설은 가정소설의 맥을 잇는 것이 아니라 『알퀸』의 맥락 안에 넣을 수 있는 여성주의 노선을 취한다고 평가하였다. 1907년 로쉬 Lillie Deming Loshe는 두 여주인공을 『오몬드』의 컨스탠시어Constantia Dudley의 뒤를 잇는 독립적인 여성으로 보았다. 클라라 호워드를 "부드럽고 우유부단한 남성을 리드하는 단호하고 이성적인 여성"으로 보았고, 제인 탈봇을 아버지나 남편에게 의존하지 않고 자신의 판단에 따라 행동하는 새로운 여성이라고 주장했다(45-49). 1932년 나이트Grant Knight는 이 두 소설은 "조지 엘리엇George Eliot이나 헨리 제임스Henry James의 심리적 리얼

을 포기했다. 그에게는 사랑과 로맨스가 아니라 공포와 두려움이라는 소재가 가장 적절하다. 그는 공포의 영역에서 벗어나 평범한 낭만적인 이야기를 하는 작가가 되어버렸다"(191-94)고 평가했다.

리즘을 예고한 작품"이라고 해석했다(102). 1948년 코위Alexander Cowie는 "『클라라 호워드』는 서툴기는 하지만 1860, 70년대 헨리 제임스 소설들이 지니는 사랑의 궤변을 말하는 개척자적인 소설"이라고 한 바 있다(88). 1952년 클락David Lee Clark은 클라라 호워드를 "브라운의 이상적인 여성"으로 생각했다(182-84). 1970년대에 이르면 버나드Kenneth Bernard는 브라운의 마지막 소설들이 재미없는 게 아니며, 특히 『제인 탈봇』은 대부분의 비평가들이 주장한 것보다 훨씬 우수하다고 주장한다. 브라운은 제인을 통해, "헨리 제임스 이전에는 등장하지 않던 지적이고 위트 있으며 매력적인 여성"을 만들어냈다는 것이다(8).

이 두 소설에 관해 거의 최초로 본격적인 비평을 했던 크라우스Sydney Krause는 이 소설들이 『에드거 헌틀리』의 양식을 사용하고 있다고 주장했다. 크라우스는 이 두 소설이 "브라운의 첫 네 권의 소설에서 다루었던 인간의 도덕적인 제도에 관한 근본적인 탐색을 연장한 것이며, 브라운의 문학 활동에 일생 동안 영향을 행사했던 고드윈 사상을 계속 작업한 작품"이기 때문에 주목받는다고 주장했다(186). 르바인Paul Levine은 이 두 편의 마지막 소설들과 이전 소설의 유사성을 지적하면서 『윌랜드』와 『오몬드』의 변증법을 새로운 상황으로 확장한 것이라고 주장한다(142-44).

『클라라 호워드』와 『제인 탈봇』 이전 소설에서도 감상소설의 수법들은 많이 사용되었는데, 『윌랜드』와 『오몬드』에서도 이미 유혹이라는 장치가 등장했었다. 이 두 소설은 이전 소설과 유사한 주제를 발전시킨 것이다. 『클라라 호워드』의 주인공 에드워드 하틀리Edward Hartley의 출세, 다시 말해 시계공 도제라는 소박한 신분에서 후견인의 도움과 후견인의 양딸 클라라와의 결혼으로 신분 상승과 재산을 습득하는 것은 『아서 멀빈』의 주인공 아서가 밟는 과정과 아주 흡사하다. 이와 비슷하게 『제인 탈봇』에서의 제인과 제인의 양어머니 필더 부인Mrs. Fielder의 신앙과 고드윈William Godwin의 영향을 받은 콜든Henry Colden의 무신론적 이성주의의 갈등은 『오몬드』에서 발전시킨 주제의 변주로 보인다. 이 두 소설의 인물들은 이전 네 편의 소설 주인공들이 겪는 기이하고 놀라운 체험을 하지 않는다 하더라도 그들은 새로운 사상들에 대해 이전 주인공들만큼이나 관심을 가지고 있다.

근래에 와서 이 소설들은 이전 소설들과 마찬가지로 미국의 정치, 경제, 사회적인 현상과 연결해서 다루어진다. 번햄Michelle Burnham은 『클라라 호워드』와 『제인 탈봇』을 미국의 사회적인 상황과 연결시키고 있다. "앞을 내다보는 브라운 소설이 지니는 경제적인 면은 당시 미국 독립혁명 후 역사적, 정치적 상황과 관련이 있다. 이 작품들은 역사적인 시대를 정치적으로 재현한 소설이며 여성에 대한 민주적 이상을 약속한 것이 성취되지 않았음을 기록한 작품"(260)으로 보았다. 브라운은 단순히 소설을 쓰는 게 아니라 "미연에 차단된 미국의 정치적인 역사의 과정에 대해 코멘트를 했다"(Kamrath 57)는 것이다. 한편 벌레이Erica Burleigh는 여성의 법적 지위와 관련해서 이 두 소설들을 조망하면서 『클라라 호워드』와 『제인 탈봇』은 결혼과 재산의 문제를 다루고 있다고 주장한다. 인간의 애정 문제가 총 망라되는 구혼와 결혼을 법적인 계약 측면에서 다룸으로써 감상소설이나 '유혹소설'에서는 신성시되어 의문조차 제기되지 않고 간과되었던, 남녀 간의 법적 권리와 정체성 등과 같은 사회적 가치들을 검토하고 있다는 것이다(750). 이런 여러 면에서 살펴볼 때 이 두 소설이 브라운의 이전 소설과 절연되었다고 보기 어려울 뿐 아니라, 불행한 이별이라고도 할 수 없다. 브라운은 "엄청나고 기이한 것들 대신 도덕적인 이야기와 일상적인 사건들"을 선택하였지만 지적인 면에서나 사상 면에서 방향을 바꾼 것은 아니다.

2. 서간체소설

브라운이 『클라라 호워드』와 『제인 탈봇』에서 사용하는 서간체 기법은 앞에서 이야기한 것처럼 많은 비평가들이 브라운의 작품세계가 '여성소설' 또는 '감상소설'로 퇴보한 것을 알리는 하나의 상징으로 간주되었다. 그러나 웨일러Karen Weyler는 미국에서 서간체 형식이 유행한 것을 미국의 독특한 상황과 연결하고 있다. 영국에서 이미 사라진 서간체 형식이 당시 미국 작가들과 독자들에게 받아들여진 이유는 미국의 이념과 관계있다는 것이다. 서간체소설은 많은 미국 소설들이 강조하는 자기 반영을 드러내 개인의 행동이 계속 거울에 반사되고 세밀히 관찰당하는 것처럼 인물들을 드러낸다는 것이다. 이는 영적인 전기spiritual biography를 많이 썼던 청교도의 영향을 강조하는데, 청교주의Puritanism보다 한층 더 엄격한 자기 검열을 강조한 퀘이커Quaker교도의 집안에 태어나 받은 퀘이커교육은 브라운으로 하여금 끊임없이 자기 검열을 했고 이성적인 반성을 한층 더 강조하게 만들었다. 브라운은 서간문 형식을 통해서 자기반성과 더불어 지속적인 사회변화와 다양한 사고에 열려있는 고드윈과 울스턴크래프트의 영향을 더욱 드러내게 되었다고 주장한다(32). 데커James Decker는 브라운이 편지 형식을 사용함으로써 고드윈의 이론을 당시 미국인들의 '정신적인 불안정성'에 연결시켰다고 주장한다. 이 소설의 편지교환은 글쓰기가 불안정하고 유동적인 정신 상태를 어떻게 반영하는지 보여준다는 것이다(30).

이 소설들은 『에드가 헌틀리』의 편지 형식을 모방하고 있지만, 다른 점은 편지를 혼자 쓰는 게 아니고 서로 답장하는 것으로 이루어져 있다는 점이다. 가드너Jared Gardner는 서간문 형식이 작가의 권위와 자주권을 없애고, 대신 작가에게 여러 목소리와 소재들의 복합적인 그물망을 엮고 지휘하는 편집자 역할을 부여한다고 주장한다. 편지의 교환을 편집하는 역할을 하는 작가는 한 사람에게만 특권을 부여하거나 다른 인물들의 개성을 지우는 것이 아니라, 국가라는 문화적, 정치적 공간에 존재하는 다양한 해석의 가능성을 제시할 수 있다고 한다. 그리하여 독자들에게 공화주의자나 연방주의자와 같은 단 두 가지의 선택만이 있는 게 아니라, 다양한 선택이 가능한 대안적 시민들을 나타낸다는 것이다(*ELH* 750).

각자 자신의 이야기를 할 수 있는 편지 형식이야말로 여러 인물들에게 자신의 배경, 태도, 좋아하는 것과 싫어하는 의견을 표현하게 하고, 관점 간의 갈등이 발전하도록 허용해 인물들이 다른 이들에 대해 의견을 수용하거나 거부하도록 만든다. 그러는 과정에서 인물들은 자기 입장을 밝히고 편지를 보내는 이들의 의견에 반응함에 따라 진전되는 지적인 드라마를 통해, 브라운은 한 사람의 관점이 아니라 모든 이들의 상호관계로부터 오는 의미를 제시하게 된다. 이런 점에서 브라운에게 서간체 기법의 사용은 예술상의 퇴보라기보다는 새롭고 효과적인 면에서 다각도로 사상들을 검토하는 기회를 제공하였다. 이처럼 여러 비평가들의 주장대로 이 소설이 차용하는 서간체 형식은 브라운이 여성 독자만을 염두에 둔 기법상의 후퇴라기보다는, 그가 이전 소설에서 시도해보지 못한 새로운 수단을 선택한 것이라고 할 수 있다.

3. 『클라라 하워드』: 지연되는 혁명

이 소설은 친구들과 연인들의 가정 내의 관계와 결혼의 경제학 사이에 플롯을 설정해 현실 세계에서 구혼과 결혼에 뒤따르는 재정적, 감정적, 사회적 긴장과 타협, 상호 간의 행복을 만드는 게 무엇인가 하는 실질적인 문제를 논하고 있다. 소설이 시작되면 에드워드 하틀리라는 시골 출신의 농사꾼 청년이 도제가 되기 위해 도시로 간다. 거기에서 그는 자기보다 나이가 아홉 살이 더 많은 메리Mary Wilmot라는 처녀를 만난다. 부모를 잃고 남동생과 자신의 생계를 바느질로 이어가는 메리는 에드워드 하틀리를 사랑하게 되고 하틀리는 메리를 사랑하는 감정이 없음에도 불구하고 그녀를 존경하는 마음에서 결혼을 약속한다. 갑자기 남동생이 사망하게 되어 메리는 5,000달러를 유산으로 받는다.

에드워드는 호워드Mr. E. Howard라는 신사의 휘하에 들어가 교육을 받게 된다. 호워드 씨는 과부가 되어있는 옛사랑을 유럽에서 재회하여 결혼한 다음 같이 돌아온 부인의 딸 클라라에게 에드워드를 맡긴다. 결혼을 약속했던 메리가 갑자기 사라지고, 에드워드와 메리의 편지들이 제때에 전해지지 않는 바람에 몇 달 동안 에드워드와 메리는 서로의 소식을 알지 못한다. 그는 메리와의 약혼이 파기되었다고 생각하고 클라라에게 애정을 표명하나, 클라라는 하틀리에게 약혼녀 메리를 찾아야 한다고 주장한다. 메리의 소식이 두절되었던 동안 클라라와 에드워드는 메리가 혼자이며 불행할 거라고 짐작하지만, 메리는 오래전에 알았던 세들리Sedley와 사랑에 빠지게 된다. 메리가 세들리를 선택하게 됨에 따라 클라라와 에드워드는 결혼을 결정한다.

비평가들은 이 소설에서 브라운이 가족과 남녀 간의 애정 문제로 선회한 것에 대해 브라운이 공허한 부르주아 도덕성에 빠져들었다고 비판하나, “이 소설 역시 다른 브라운의 소설처럼 결혼의 권리와 돈의 문제가 중심에 있으며 동시에 미국의 정치 사회적인 혁명이 완성되지 않고 여전히 진행 중”(Burnham 260)이라는 이야기를 하고 있다. 등장인물들이 서로 교환하는 편지는 쓰는 이의 내면적인 삶과 무의식적인 욕망을 드러내고 완전히 해결하지 않고 남겨둔 이야기의 긴장감을 만들어낸다. 『클라라 호워드』는 불확실함, 서스펜스, 결정되지 않은 사안들로 넘쳐난다. 이 소설은 편지쓰기를 통해 인물들이 부각되는 것이 아니라 시간을 두고 편지 교환을 통해 여러 인물들이 서로 얽혀있고 좌지우지 되는 상황을 보여준다.

『클라라 호워드』는 사건들이 발생하는 것을 그린 게 아니고 사건이 발생할 것이라는 예상을 그린 소설이다. 이 소설의 발단은 에드워드가 받지 못한 편지 꾸러미로 시작한다. 이 편지는 에드워드의 약혼자 메리가 보낸 것으로 에드워드가 떠난 바로 그 날 저녁에 도착한다. 에드워드는 넉 달 뒤에야 그가 메리에게 보낸 편지를 힉맨Hickman의 누이가 서랍 속에 넣어놓고 깜박하는 바람에 오랫동안 전달되지 못했다는 것을 알게 된다. 편지들이 제때에 전해지지 않고 계속 지연되는 바람에 에드워드는 뒤늦게 전달된 편지들을 읽고 계속 예측이 들어맞지 않아 불안해한다. 메리의 첫 편지는 에드워드가 보낸 짧은 편지 때문에 궁금해졌는데, 그의 편지가 지연되는 바람에 불안해졌다는 소식을 전한다. 그녀는 에드워드가 어디에 있는지도 모르고 그의 편지도 받지 못했다. 메리의 다음 편지는 그녀가 에드워드의 편지를 읽지 못해 답장을 연기하다가 모튼Morton이라는 남자가 도착했다는 소식을 알려준다. 그러면서 메리는 동생이 남긴 유산으로 에드워드와 그의 누이들을 가난에서 구해주기 위해 결혼하겠다는 말을 한다.

그러나 갑자기 나타난 모튼이 동생이 남긴 5천 불이 자기 돈이라고 주장하자, 다시 가난해진 메리는 에드워드와의 결혼을 미루고 에드워드에게 클라라와 결혼하도록 권한다. 메리는 에드워드가 자기를 찾을 수 없는 곳으로 떠나버리고 에드워드는 그녀를 쫓아 탐문을 하고 더 초조해진다. 이 소설은 전통적인 이야기의 진행 방식에서 보자면 진전이 거의 없다. 이 소설에는 타인의 행복을 자기 욕망보다 먼저 배려하는 클라라의 사심 없는 태도가 작동하지 못하고 에드워드, 메리, 클라라 세 인물은 자기 행동을 결정할 수 없는 상황으로 인해 서로 얽매여 있다.

각각의 편지가 서로 어긋나거나 해소되지 않는 무엇인가를 남겨놓기 때문에 이 세 사람은 더 많은 소식을 알고 싶어 하고 편지를 더욱 애타게 기다리게 된다. 편지가 잘못 전해지고 편지를 쓰는 인물들이 사라지면서 행동과 결정이 뒤로 미뤄진다. 에드워드, 메리, 클라라는 대부분의 시간을 편지를 기다리는 것으로 보내게 된다. 이 소설의 주인공들은 해결책이나 새로운 정보를 전하는 편지를 기다리듯이, 자기들이 당면한 문제의 답과 명확한 사실들을 기다린다. 모든 편지들은 계속 편지를 교환하는 사람과 그들 각각에 대한 관계를 재규명한다. 에드워드가 사라진 메리를 찾아 나서면서 그와 클라라는 자기들이 예상했던 사실들을 뒤집는 편지를 계속 주고받는다. 에드워드는 클라라를 사랑한다고 주장하고, 클라라는 에드워드를 사랑하지만 메리와 결혼해야 한다는 결심을 굽히지 않고, 메리는 자신이 에드워드를 행복하게 해줄 수 없는 관계로 그에게 클라라와 결혼할 것을 종용한다. 에드워드는 클라라의 주장에 수긍하고 메리와 결혼하기로 동의하지만, 클라라의 냉정함을 원망한다. 이에 클라라는 에드워드가 자기를 이해하지 못한다고 섭섭해하나 얼마간의 시간이 지난 후에 클라라는 에드워드와 결혼하겠다는 결심을 새롭게 한다. 이렇게 주인공들의 생각과 추측이 변화하며 이어지는 편지는 이 인물들이 명확한 결론을 내리지 못하게 해 긴장감이 계속된다.

에드워드와 결혼하기로 동의한 다음에도 클라라는 에써리지 부인Mrs. Etheridge의 집에서 우연히 메리를 만나고 나서 "메리가 살아있고 다른 이와 맺어지지 않는 한, 나는 당신 친구로만 남아있겠어요"(109)라고 하며 다시 마음을 바꾼다. 클라라와 다툰 에드워드는 미개간지로 들어가 버리겠다고 위협하지만, 결국 마음을 바꾸고 메리에게 청혼한다. 메리가 클라라와 결혼할 것을 주장하며 그의 청혼을 다시 거절하자, 두 여자 모두에게 청혼이 거절당한 그는 황야로 떠나버린다.

에드워드가 황무지로 떠난 다음에야 메리가 클라라에게 자신의 상황을 알리는 편지가 도착한다. 메리는 "나 자신에 대한 혐오감은 다른 이에게 빠져있는 열렬한 내 사랑에 비례한다"(120)고 하면서, 자기가 세들리라는 사람을 사랑하게 된 연유와 함께 근황을 알려준다. 메리는 모튼이 자기 돈이라고 주장했던 남동생의 유산이, 사실은 세들리가 자기와 에드워드의 결혼이 성사되도록 보냈다는 것을 그의 누이 발렌타인 부인Mrs. Valentine에게 듣고 마음이 세들리에게 돌아서게 된다. 발렌타인 부인은 메리가 에드워드를 위한다고 했던 행동이 전혀 그렇게 되지 않았다고 하면서 에드워드를 위해 메리가 흔적도 없이 사라지는 바람에 에드워드가 그녀의 운명에 더 얽히게 되었다는 사실을 일깨워준다. 발렌타인 부인은 클라라에게 보냈던 세들리의 편지들을 메리에게 전해주고 그 편지들을 읽으면서 메리는 세들리의 사랑에 굴복한다.

에드워드를 마음에 품고 있던 메리가 오랫동안 알고 지내면서도 전혀 관심이 없던 세들리에게 급격하게 마음이 기울어진 것은 자신을 위한 세들리의 세심한 배려와 사랑 때문이기도 하지만, 그의 경제력이 영향을 끼치지 않았다고는 할 수 없는 것처럼 브라운의 소설에는 경제적인 문제가 항상 밑바닥에 자리 잡고 있다. 에드워드가 클라라와 결혼하는 것을 상상할 때, 그는 클라라에 비해 초라한 자신의 경제적, 사회적 위치로 인해 불안감을 느낀다. 그는 "자신은 무명의 광대에 지나지 않는 소작농으로 일생을 헛간과 옥수수 밭에서 지냈던 사람인데 클라라처럼 교육을 받고 뛰어난 사람이 신분을 낮추는 것은 불가능하다"(55)고 생각한다. 자신과 다른 신분과 재산 때문에 에드워드는 클라라에게 청혼하는 게 믿어지지 않는다. 에드워드가 클라라의 막대한 재산을 갖게 되면 과연 어떨지를 상상하는 긴 구절은 그의 마음이 잘 드러난다.

> 이 영원한 궁핍함이 끝날 날이 있을까요? 부의 진정한 사용, 지혜의 어려운 시험이 이제 내게 닥치게 되는 걸까요? 그렇죠. 클라라와 그녀가 물려받는 모든 게 내 것이 될 것이에요. 나는 그런 유혹을 받는 것에 전율할 거요. 내가 혼자라면 떨릴 거예요. … 사람들은 내게 야망이란 인간에게 자연스러운 거라고 말하죠. 어떤 것도 힘과 명령을 가지는 것보다 즐겁지 않다고 합니다. 나는 그것을 추구하지 않아요. 나는 기꺼이 누구에게나 자선을 베푸는 사람이 될 겁니다. 직책이나 부가 주는 힘은 이 목적에 필요하지요. … 나는 다른 이들을 지배하기를 원치 않고 정확하고 신성하다고 생각하는 이에게 복종할 거예요. 클라라의 의지는 내 법이죠. 클라라의 즐거움은 내가 연구할 학문이고 그녀의 미소는 하느님 다음으로 내가 가장 소중하게 여기는 보상입니다. (89-90)

위의 편지에 의하면 에드워드는 클라라의 의사를 존중하고 그녀의 재산을 인정하는 듯이 보인다. 그러나 사실 위의 말은 남편의 보호 아래에 있는 유부녀의 신분이라는 법적 지위와 상충된다. 당시의 법에 의하면, 아내의 재산은 결혼과 동시에 남편에게 가게 되어 있어서, 클라라가 유산으로 받은 돈은 남편 에드워드의 것이 된다. 미국에서 발간된 첫 법적 문항, "법은 남편과 아내를 한 사람으로 생각하기 때문에 그들이 하나의 의지를 갖는 것을 허용한다. 그 하나의 의지는 남편의 손에 있다"(Burleigh 753)고 하듯이, 부부의 의지라는 것은 바로 남편의 의지이다. 클라라와 에드워드가 결혼할 때에 그들은 하나의 마음으로 하나의 몸이 될 것이다. 에드워드는 하나로 된 마음이 클라라의 마음이라고 주장하지만, 그들의 의지가 합쳐질 때 클라라는 자신의 의지를 유지할 수 없는 위치에 서게 된다. 왜냐하면 당시의 법은 재정에 대한 여성의 법적 권한을 부인하기 때문이다. 클라라는 결혼을 함으로써 미국 시민으로서의 정체성이 사라지게 된다.[34]

다른 한 편으로 에드워드는 결혼으로 인한 계층 상승에 불안감을 강하게 느끼지만 구세계로부터 독립한 신생 공화국에서는 그런 불안감이 적절하지도, 필요하지도 않다는 걸 인식하고 있다. 태생이나 사회 계층, 소작농 같은 것은 미국인에게는 적용되지 않아야 하나, "유럽에서 만들어진 책"으로 교육받은 사람들의 정신에 그 의미가 남아있다. 따라서 "그는 자기 처지가 소작농과 같다는 것을 잊을 수가 없다"(53). 에드워드는 자유와 평등의 민주주의가 보장하는 사회를 지향하면서도 혁명 이전의 정치경제적인 정체성에 뿌리를 박고 있는 자신을 발견하게 된다. 그는 자신의 처지를 잘 알고 있는 듯이 클라라의 재산을 분배하는 대리인으로 살겠다고 하지만, 결혼하는 순간 클라라의 모든 경제적 권한이 정지되는 유럽과

---

34) 브루스 버젯Bruce Burgett은 이 소설을 '양성 간의 전투'로 보았다. 그는 클라라는 남성적으로, 에드워드를 여성적으로 보고, 이 소설이 젠더의 인습적인 구분을 전복하지만 결국에 가서 클라라는 정치적, 경제적 권한이 없기 때문에 자신의 대의를 표명할 수 없다는 점을 지적한다(132).

다를 바 없는 법률제도가 미국에서도 통용되고 있다.

미국 혁명이 만든 헌법은 모든 국민에게 동등한 권리와 자유를 부여한다고 공언하고 있으나, 국민은 유럽의 사고방식에 여전히 젖어있고 국민의 반에 해당하는 여성들에게는 기본적인 권리가 부여되지 않은 구대륙의 상황과 똑같다. 미국 혁명은 유럽의 정치 사회 제도와 단절을 선언했으나, 혁명 후의 미국은 헌법이 주장하는 온 국민의 평등을 기반으로 하는 민주주의 정치 형태가 아닌 유럽의 사회 관습과 제도가 여전히 지속된다. 당시 미국의 실상은 『클라라 호워드』의 주인공들처럼 독립적이지도, 자립적이지도 않았다. 이 소설에서 행해지는 구혼과 결혼 관행이 보여주듯이 미국은 불완전하게 이루어진 혁명으로 인해 복잡하고, 이념적인 긴장이 해소되지 않았다.

인물들 간의 관계 정립이 계속 지연되고 전복되는 것은 미국의 불완전한 혁명이 가지고 온 혼돈과 지연의 상징이다. 실제로 이런 편지들이 말해주는 구혼과 로맨스의 끝나지 않는 이야기는 미국 혁명이 약속한 것이 이행되지 않은 상황과 비슷하다. 혁명의 새로운 이념이 미국 전반에 걸쳐 이행되지 않은 것처럼 에드워드가 언급하는 자신의 사고방식과 혁명이념 사이의 괴리는 계속 지연되는 이 소설의 이야기 진행과 관련성을 보여준다. 메리가 세들리를 갑작스럽게 사랑하게 된 혁명적인 감정의 변화가 미국의 정치적 혁명이 미국인의 사회 현실과 의식을 근본적으로 변화시켰다는 것을 상징하기에는 충분하지 않다. 토크빌Alexis de Tocqueville이 미국 사회에 대해 "미국은 낡은 귀족주의의 색채가 새어 나오는 민주주의 표면을 가지고 있다"(45)고 했던 말은 이 소설에도 해당한다. 페이지마다 누군가가 마음을 바꾸는 이 소설은, 이들의 마음속에 불완전하고 불확실한 혁명이 계속되고 있음을 보여준다.

이 시점에서 가장 시선을 주목하게 만드는 것은 혁명에 대한 기대이다. 에드워드가 클라라와 결혼하기로 작정하고 클라라를 만나기 위해 오면서, 그는 이 만남을 기대하며 이렇게 심정을 말한다.

> 인간은 현재보다는 미래를 위해 존재한다. 우리 존재는 우리가 예상하는 혁명 전야에 느끼는 만큼 강렬하고 생생하게, 그리고 우리의 행복에 중요하게 느껴질 때가 없다. 우리의 관심은 변화에 우리를 좀 더 가깝게 몰고 가는 모든 사건에 끌리게 되고 우리 앞에 떠오르는 있는 그대로의 대상들과 이전에 우리가 상상했던 것들과의 타협을 만들어내는 데 바쁘다. (63)

미국 혁명은 민주적인 사회를 위해 구세계의 제도를 타파한다고 선언했다. 이는 클라라의 어머니가 호워드 씨를 사랑했으면서도 부모님이 권하는 남자와 결혼했고, 메리 윌못의 어머니 메리가 부모의 명령으로 강제로 미국으로 가야 했던 사실이 보여주듯, 부모의 의견이 우선되는 유럽 관습에서 당사자들 의지가 보다 중요한 미국식 결혼의 전환으로 비유된다. 미국에서의 결혼은 부모에 대한 의무보다는 클라라와 메리의 결혼에서처럼 개인의 욕망을 추구하는 것으로 변화하였다. 그러나 에드워드가 클라라와 결혼하는 미래와 상상했던 순간 느꼈던 것처럼, 사회 전반적으로 이 혁명은 아직 완성되지 않았다. 여전히 구대륙의 사회 계층과 권위의 위계질서에 사로잡힌 사고방식이 계승되고 남녀 간의 권리 인식도 유럽과 동일하다. 이 소설의 결말에 결혼은 예상되지만 미루어지고 일어나지 않는다. 에드워드가 클라라와 결혼하는 미래를 생각할 때 "그는 귀족과 왕족의 이름에 익숙했다. 그러나 그것들은 두려움을 만들어내는 어둠으로 덮여있다. 그것들과의 거리 두기는 틈새를 만들어낸다. 나는 그 간격을 뛰어넘지 못하리라고 상상했다'(53)는 심정을 고백한다.

이는 유럽의 과거와 미국의 미래 사이의 틈이고, 혁명 전과 혁명 이후 이념 간의 간격이다. 에드워드가 극복하기 어렵다고 하고, 소설의 진행이 계속 끊어지고 로맨스와 결혼 이야기가 멈추는 틈새이다. 그러나 이 소설의 주인공들은 좌절하지 않고 계속 편지 교환이라는 방식을 통해 만들어낸 '예상되는 혁명'을 기다린다.

4. 『제인 탈봇』: 미완의 혁명

『클라라 호워드』가 입양이나 혈연이 만들어낸 가족을 이야기하고 있다면 이 소설은 결혼을 통해 이루어지는 가족을 보여준다. 『클라라 호워드』를 발표한 지 6개월 뒤에 발표한 『제인 탈봇』은 재산권과 그것에 관한 의견 관계를 다시 한번 다루고 있다. "대표 없는 과세는 없다, 모든 인간은 평등하게 태어났다, 미국에서는 법이 왕이다"와 같은 구호는 18세기 이성의 시대이자 혁명이 진행되던 미국에 가장 많이 인용되던 구절이다. 이런 표현은 권리의 추상적인 평등화가 지니는 낙관주의를 표현한다. 이런 구호는 개선 가능성을 보여주기 때문에 사람들은 낙관적으로 실제 상황의 세세한 구체성을 간과하는 추상성을 신뢰하고 받아들였다. 그런데 『제인 탈봇』은 이와는 다른 낙관적인 추상성이 간과했던 이야기를, 국민과 법이 따로 분리되는 이야기를 하고 있다. 『알퀸』이 법적으로 모든 사람들이 등등하게 대접받지 못하고 있는데 마치 평등하게 대하는 듯이 말하는 모든 제도를 직접 비판하고 있다면, 『제인 탈봇』에서 이런 비판은 더 복잡해진다. 이 소설은 직접적인 법적 불공정의 이슈를 다루지 않고, 법이 말하는 평등의 전제가 되는 조건들에 대해 질문을 던진다.

계약이나 동의에 관한 법적 용어는 다른 양식의 소설보다 구애와 결혼에 관한 소설에서 더 깊이 있게 다루어진다. 이 소설은 결혼의 최종 완성인 혼인법에 근거해 결혼식에 선행되는 약속과 타협을 부각시키며 이야기를 진행한다. 『제인 탈봇』은 사람들이 서로 약속을 하고, 약속을 지키게 되는 과정을 보여준다. 법적 의무와 구속력을 나타내는 언어는 감상소설의 여주인공이 짓는 한숨과 눈물, 그리고 홍조를 표현하는 언어보다 훨씬 강력한 힘을 가지고 있다. 『제인 탈봇』에는 감상소설에서 흔히 얘기되는 유혹하고 유혹당하는 남자나 여자, 임신한 뒤 버림받아 자살을 시도하는 여자도 없고 아이를 낳다가 죽는 여주인공이 등장하지 않아 마치 행복한 결말을 보여주는 듯하지만, 끝까지 결혼식은 일어나지 않는다. 이 소설에서 보여주는 결혼은, 결혼이 해피엔딩의 전제조건이라는 생각에 전반적으로 동의하지 않는 듯이 보이기 때문이다. 브라운은 이 소설에서 감상소설의 구혼과 결혼에 바탕이 되는 계약의 논리가 지니는 한계를 규명하는 데 관심의 초점을 맞춘다.

이 소설은 젊은 과부인 제인이 고드윈 사상을 추종한 적이 있던 콜든과 사랑에 빠지는 것으로 시작한다. 제인은 다섯 살 때 어머니가 돌아가시고 아버지가 건강하게 살아있음에도 불구하고 어머니의 어린 시절 친구인 필더 부인에게 입양된다. 제인의 오빠 프랭크Frank는 방탕하고 씀씀이가 헤퍼, 정신이 온전하지 못한 아버지와 제인에게 자기 사업에 대한 투자를 핑계 삼아 돈을 갈취해, 결국에는 두 사람 모두 돈과 재산을 다 잃게 만든다. 제인은 양어머니의 법적 상속인이 되는 것을 기대하지만, 친딸이 아닌 데다 상속인으로 지정되지 않아 유산을 받지 못할지도 모른다는 불안감을 항상 가지고 있다.

> "내 어머니의 재산은 정말로 많고 확실하지만 그 재산에 대한 나의 권리 주장은 어머니의 기분에 따라서입니다. 수천 가지 사건들이 나에게서 어머니 재산을 빼앗아 갈 수 있어요." 제인은 필더 부인에게 재혼하라고 오빠가 권하면 무슨 일이 일어날지를 걱정한다. (22)

제인의 보호자이자 양어머니인 필더 부인은, 콜든이 오래 전에 쓴 편지를 근거로 그의 도덕적인 이성주의와 급진적인 신념들을 혐오하며 위험한 인물로 치부해버린다. 거기에다가 콜든이 제인의 남편 탈봇Mr. Talbot이 출장을 가 집을 비운 밤에 제인을 유혹했다고 믿는다. 그런 사실을 알려준 편지는, 실은 탈봇을 사랑해 제인과 탈봇을 헤어지게 하려고 제인의 이웃 미스 제섭Miss Jessup이 제인의 필체를 가장해 쓴 것이다. 필더 부인의 완강한 반대에 부딪혀 제인과의 결혼이 좌절되는 것에 절망한 콜든은 외국으로 떠나고, 미스 제섭은 자신의 잘못을 고백하고 죽는다. 미스 제섭의 고백을 들은 필더 부인은 용서를 빌고, 그녀가 세상을 떠난 뒤 귀국한 콜든은 제인과 결혼을 약속한다.

『제인 탈봇』에서도 편지가 중요한 역할을 하는데, 여기에서도 편지가 계속 잘못 보내져 발신인이 보낸 사람이 아닌 이가 남의 편지를 읽게 되고 또한 그 편지 내용 역시 믿을 수 없다. 극적 사건이 일어나지 않고 깊은 생각에 빠진 인물들을 길게 그리는 이 소설의 드라마는 편지 자체에 들어있다. 이 소설은 얼마나 쉽게 그 편지들이 도난당하고, 엉뚱한 이가 읽고, 의도한 목적지에 도달하지 못하는가를 계속 보여준다. 소설 결말에 이르러서야 필더 부인이 모은 편지의 증거들이 제인과 헨리에 대한 오해를 풀어준다.

이 소설에는 클라라처럼 자기 생각을 다른 이에게 강요하는 인물은 등장하지 않지만, 서로 다른 의견으로 갈등을 겪는 세 인물들이 있다. 제인과 콜든, 그리고 피들러 부인 이 세 사람은 많은 편지들을 통해 자기 입장을 밝히고 상대방의 말에 응답한다. 제인은 근본적으로 낭만적이고 "모든 충동의 노예이고 바람에 흔들리고 영원히 요동치는 것을 보여주는 인물"이지만, 콜든에게는 "자기를 가장 의심하지 않고 캐묻지 않으며 모든 세세한 일에 신경을 써주는 사람"(250)이다. 그녀의 성격은 예측 불가하여 콜든에 관한 소문에 대해 "들었던 것을 믿기도 하고 믿지 않기도 하지만"(257) 이와 비슷한 인물들이 등장한 『윌랜드』에서 보여주지 못하는 복합적인 면과 점차 성숙되는 과정을 보여주는 인물이다. 『윌랜드』에서 발생한 비극이 주인공 윌랜드가 귀로 들은 것과 눈으로 봤던 것을 분리하지 못하고 카윈의 복화술을 제대로 해석하지 못한 것이 직접적인 원인이라고 할 때, 제인은 그 인물들과는 달리 시간이 지남에 따라 안정되고 발전해간다.

제인은 콜든과 결혼하면 필더 부인의 유산을 포기해야 하고, 콜든의 아버지는 제인과의 결혼을 반대해 콜든은 아버지의 유산을 기대하기 어렵다. 주위의 반대를 무릅쓰고 결혼을 감행하면 생계가 막막한 이 두 사람이 주고받은 편지들은 자신들의 처지와 주위 상황을 심사숙고하는 과정을 보여준다. 제인은 필더 부인과의 관계를 "어머니는 항상 자기 시선의 움직임으로, 자기 의지로 내 행동을 제어할 것뿐 아니라 자기 의지를 내 생각의 기준으로 만드는 것을 좋아했다"(303)고 한다. 양어머니의 막강한 힘에 복종하는 제인이지만 콜든에 대한 사랑으로 상황이 복잡하다. 콜든에 대한 사랑과 양어머니에 대한 의무, 그리고 양어머니의 도움 없이는 경제적인 자립이 불가능한, 만만치 않은 무게를 지닌 문제들을 앞에 두고 제인은 자기 의지를 포기하지 않는 모습을 보여준다.

두 연인의 결합에 가장 반대하는 필더 부인이 이 두 사람들을 꼼짝 못 하게 만드는 증거는 두 통의 편지이다. 콜든을 싫어하게 된 연유는 그가 어린 시절 친구인 톰슨Thomson에게 보낸 편지 때문이다.

> "이런 편지들은 콜든이 자살을 선전하는 사람이라는 걸 보여주지. 약속을 우습게 보는 사람이고, 계시와 섭리와 내세를 경멸하며 결혼 제도를 반대하고, 결혼에 방해되는 습관과 실정법 외에는 어떤 법도 부인하며, 남매와 부모 사이에 성관계를 주장하는 사람이라는 걸 보여준다고! 내가 그런 것들을 증거 없이는 믿지 않는다는 것을 너는 이미 알 거야. 나는 톰슨이 하는 단순한 말들을 진지하거나 가식이 없다고 믿지 않아. 하지만 콜든의 글씨만이 그런 경우에 믿을 수 있지." (227)

콜든은 이미 고드윈의 사상에서 벗어났는데도 그런 편지가 나오자 당황한다. 그는 자신이 그 편지에 쓰인 급진적인 주장에 동조하지 않는다는 것을 알고 죄가 없다고 생각하지만, 마음 한편으로는 죄를 느낀다. 필더 부인이 주장한 바대로 그의 편지가 보여준 사고를 과거에 자신이 했다는 그 죄를 자각하고 강력하게 자신을 변호하지 않는다. 필더 부인의 집요한 반대와 직업이 없는 자신의 경제적인 무력함이 제인을 곤경에 빠뜨릴 수 있다는 생각에 그는 외국으로 배를 타고 떠난다.

필더 부인은 제인과 콜든을 곤란하게 만들 수 있는 또 하나의 편지를 제인에게 보여주는데, 그 편지는 반은 제인이 쓴 것이기는 하나 제인이 잠깐 자리를 비운 사이에 그 편지를 훔쳐낸 미스 제섭이 후반부를 쓴 것이다. 그 구절은 제인이 탈봇과 아직 결혼 상태였을 때 콜든과 밀회를 했다는 암시를 주는 내용으로, 미스 제섭이 제인의 글씨체를 흉내 낸 것이다. 미스 제섭이 위조한 글씨는 필더 부인뿐 아니라 제인 자신도 속아 넘어갈 정도로 감쪽같다.

> "편지 전부를 처음 훑어봤을 때 내가 쓴 편지로 보였어요. 마지막의 이해할 수 없는 구절마저도 내가 인정했어요. 처음 혼란스러웠을 때 나는 무엇을 믿고 무엇을 부인해야 할지 몰랐거든요. 난 혼란스러웠고 계속 노력을 해도 그것을 순서대로 회상하는 데 소용이 없었어요. 그때 나는 비난이 진짜처럼 느껴졌어요. 나는 기억을 돌아보는 게 내가 지금까지 의식하지 못했던 죄의 증거가 나오는 것 같아 떨렸어요. 내가 기억 못 하는 증거를, 혹은 마음이 다른 곳에 혹해 있어서 적절치 못한 증거를 제공하는 것 같아 떨렸거든요." (244)

자기 것이라는 편지 뒷부분이 자기가 쓴 건지 아닌지 확신이 서지 않는 제인은 자기가 눈으로 본 것에 확신이 서지 않는다. 자신이 누구인가를 확실하게 인식하지 못하는 것은, 이성적으로 사물과 상황을 파악하는 자신감을 파괴한다. 그녀는 자기가 알고 있다고 믿는 자기 자신이 맞는지 아닌지조차 확신이 서지 않는다. 여기서 만약 우리 자신을 정확하게 나타낼 수 없고, 다른 이들이 우리 정체성을 인식하지 못한다면, 우리가 다른 사람들에게 하는 주장을 어떻게 확신할 수 있겠는가 하는 문제가 대두된다. 제인을 혼란에 빠뜨리는 자기 정체성의 문제는 편지의 진짜 주인을 가리는 사적인 소소한 문제뿐 아니라 재산의 소유권을 묻는 법이라는 공적인 영역에서는 더욱 심각한 문제를 야기하게 된다.

이 소설의 인물들은 모두 사적인 세계, 가정적인 관계에서 활동하지만, 사적인 애정 영역 역시 공적 세계와 마찬가지로 엄정한 법으로 맺어지는 영역이다. 세계를 돌며 여러 사건들을 겪고 5년 만에 미국으로 돌아온 콜든에게 보내는 마지막 편지에서, 제인은 그간의 일들을 간단하게 보고하면서 콜든에게 애정과 법 사이의 거리를 간단하게 증명하면서 그 거리가 없어지는 것을 원한다. 제인은 그들의 관계를 계약으로 만들지 않으려 하면서 계약이 요구하는 제도적인 법의 힘을 차단하고자 한다. "나는 더 이상 편지를 쓸 수 없지만 내가 당신에게 가장 사랑스럽고 열렬한 마음의 맹세를 할 때까지 결론을 내지 않을 거예요. 그 마음은 예전에도 현재도 미래에도 당신의 것이에요. 증인. 제인 탈봇"(431)이라는 단순한 결말은 소유권에 관한 모든 질문들을 침묵시키고, 그녀 마음은 항상 그의 것이고 영원히 그럴 것이라고 주장한다. 그런 확신들이 계약이 아닌 맹세로 이루어지는데, 이 맹세를 뒷받침할 증거가 없다면 맹세는 아무런 구속력이 없는 예의상의 관계일 뿐이다. 제인의 맹세는 전에도 취소된 적이 있어서 이 맹세는 계약을 근거로 하는 최종 결정 없이 두 사람의 관계가 끝날 수 있음을 암시한다. 제인과 콜든 두 사람이 장래에 대해 두루뭉술하게 한 약속은 이 편지를 읽은 모든 사람들로 하여금 결혼식과 더불어 이들이 영원히 행복하리라는 상상을 하게 만든다.

그런데 여기에서 우리가 주목해야 하는 것은 제인이 보내는 편지의 끝맺는 말이 애매하다는 점이다. 제인의 연애편지는 법적 구속력이 있는 서류가 아니고 사랑을 맹세하는 것은 그 맹세를 보증하는 증인을 요구하지도 않는다. 제인은 두 사람의 약속이 요구하는 보증을 건너뛰는 방법은 자신을 증인으로 내세워, 증인이라는 제3자를 자신이 내재화하는 것이라고 생각한다. 이런 결말은 브라운의 예전 작품과 같다. 브라운은 법적인 관계에서는 인간의 자유의지 같은 것은 작동하지 않는다는 걸 알고 있다. 브라운에게 법 앞에서 만인이 평등하다는 개념은 법 앞의 절대적인 정체성이라는 개념과 동등하다. 그러나 계약이 강제적으로 이루어진다면 그 계약은 부당한 요소들을 서로에게 동등한 것처럼 보이게 만든다. 법은 양측의 내재된 불평등을 완전히 드러내지 못하기 때문이다. 브라운은 권한을 강조하고 그 권한을 불리한 쪽에 대한 힘 있고 유리한 측의 배려와 희망 사항 등을 포용할 정도로 확장시킴으로써 계약상의 불평등을 더욱 도드라지게 만든다. 브라운이 말하는 핵심은 실질적으로 모든 관계가 동등하게 보상될 수 없다는 것이다. 우리가 불평등한 계약을 균형 잡히게 만드는 힘 있는 자의 상대방에 대한 자의적인 배려에 의존할 수 없다면, 우리는 그 배려에서 방향을 돌려 형평성의 면에서 생각해야 한다. 대표권에 대한 당시 정치적인 토론은 이 점을 강조한다. 재산소유권과 참정권을 연결시키고, 정치적 발언권을 재산 정도 그리고 성sex에 근거해 부여한다는 것은, 재산이 없는 가난한 이들과 여성들이 참정권에서 제외되는 것을 의미할 뿐 아니라, 제외당한 사람들이 독립할 수 있는 재산을 획득해 정치적인 권리를 언젠가는 가지리라는 가능성도 함께 사라진다는 의미이다.

대표권에 관한 이러한 논의는 사회적 관계를 법적 계약이 아니라, 힘 있는 자가 상대를 공정하게 배려하는 의도에 있다고 하는 주장의 허점을 지적하고 있다. 브라운이 이런 상황에서 남녀가 법 앞에서 동등하다고 추정하는 유일한 방법은, 법의 규범적인 기능을 도덕적 판단이 강요한 정체성으로 대체하는 것뿐이다. 제인의 마지막 제스처, 자신을 맹세의 증인으로 만드는 제스처는 그녀가 다른 이들을 내재화하는 만큼 다른 이들과 자신을 구분하는 데 어렵게 된다는 사실을 드러낸다. 제인은 자신의 주장을 증명하는 증인이 됨으로써 간통을 저지른 여자로 오해받거나, 근친상간을 주장하는 사람으로 오해받는 등의 허위 진술 가능성을 근절하고자 한다. 그렇게 하기 위해서 그녀는 다중의 입장을 수용하는 자아에 의존하는 수

밖에 없는데, 결국 그렇게 함으로써 그녀는 결혼 시 맺게 되는 계약의 부당함을 해결하지 못하고 그 부당함을 내재화하게 된다. 그런데 그런 과정에서 여성은 타인과 맨 먼저 관계를 설정 가능하게 만드는 바로 자신의 정체성을 상실하게 된다. 결혼 시 하는 계약은 신랑과 신부 두 사람의 입장이 평등하다는 것을 가장하고 있으나, 계약의 성립 순간부터 신부인 여성은 남편의 재산으로 간주되고, 남편에게 의존할 수밖에 없는 존재로 전락하게 된다. 이 같은 연유로 이 소설에서는 제인과 콜든의 결혼이 유보되고 예상만 될 뿐 일어나지 않는다.

5. 결론

브라운은 이 두 소설 속에서 미국 혁명의 의미를 되짚어보고, 그 혁명이 아직 완성되지 않았으며 진행 중이라는 것을 보여준다. 혁명의 미완성은 그 시대를 살아가는 남녀들의 삶을 통해 그리고 있지만, 특히 정치적 발언권과 재산권, 투표권이라는 기본적인 권리가 주어지지 않은 여성들을 통해 더욱 선명하게 부각하고 있다. 미국 공화정을 다룬 역사에 관한 글을 쓰려는 브라운의 노력은 가족의 역사와 여성의 삶과 체험에 대한 지속적이고 발전적인 관심을 드러낸다. 『알퀸』에서부터 마지막 소설까지, 브라운은 여성과 여성이 처한 상황만큼이나 지속적으로 가정문제에 초점을 맞추고 있다. 재산이 없고 육체적으로 학대받는 여성이나 남성의 먹이가 되는 여성을 동정적으로 그리는 것에서부터 교육, 결혼, 성적인 패러다임에서 여성의 억압에 도전하고 극복하기 위해 노력하는 여성까지 브라운은 여성들의 다양한 삶과 권리의 폭넓은 범주를 그린다.

이런 이유로 문화적인 정체 상태에 대해 질문을 던지고 여성주의 정치학을 강력하게 주장하는 브라운의 복합적인 상상력은 그에 관한 우리의 관심을 증폭시킨다. 그런 다층적인 시선은 당시 정치적인 영역에서 권력과 억압의 가부장적인 구조에 대해 질문을 던지게 만든다. 브라운과 같은 시대를 살았던 벤저민 프랭클린, 토마스 제퍼슨, 존 애덤스 같은 '미국 건국의 아버지들'이 인간이 본래 타고난 자유와 평등을 강력하게 주장했으면서도 여성들의 삶에는 그 주장의 적용을 간과했던 반면, 브라운은 여성의 권리 신장을 위한 급진적인 사고나 행동을 지지했고 수많은 글을 남겼다. 당시 대다수의 여성들 역시 브라운만큼 여성의 권리나 여성의 힘에 대한 대의를 주장하지 않는다. 이런 점에서 브라운의 태도는 당대의 여성 권리 신장에 앞장선 애덤스Abigail Adams와 머레이Judith Sargent Murray에 견줄 수 있다. 브라운의 소설에 나타난 가족 이야기와 가부장적 권력 구조 내에서 여성의 지위와 주체성에 대한 관심은 종결되지 않는다. 브라운은 사회적 약자였던 여성 문제를 짚어봄으로써 미국 혁명이 주장하는 자유를 진정으로 향유할 수 없었던 수많은 소수 집단들과 약자들의 문제를 들추어낸다.

역사가 구성되는 본질, 인간의 행복과 불행에 직접 영향을 행사하는 제도의 세세한 부분에 대해 캐묻는 예리한 질문, 기억과 진실과 시간, 그리고 역사적인 재현의 역동성에 관해 던지는 그의 질문은 이 두 소설에서 그치지 않고 소설 창작을 접고 편집장으로 일했던 잡지에 발표한 리뷰나 에세이 그리고 미완의 역사소설에도 끈기 있게 계속된다. 혁명적인 변화가 진행되는 사회에서 인간의 행복과 법적인 권리, 기회의 균등, 개인과 국가의 정체성과 같은 가볍지 않은 주제를 깊이 천착해 그 주제들을 논하는 브라운의 문학 세계는 여전히 우리에게 많은 점을 시사해 줄 것이다. 바로 이 점이 오늘날에도 시간과 공간을 넘어 우리가 계속 브라운의 문학에 빠져들게 하는 힘이 될 것이다.

인용문헌

박지향. 『제국주의: 신화와 현실』. 서울: 서울대 출판부. 2000.

빌애쉬크로프트 외. 『포스트 콜로니얼 문학이론』. 이석호 역. 서울: 민음사. 1996.

Adams, John and Abigail Adams. *Familiar Letters of John Adams and his Wife Abigail Adams During the Revolution, with a Memoir of Mrs. Adams.* ed. Charles Francis Adams. New York: 1876.

Anderson, Douglas. "*Edgar Huntley*'s Dark Inheritance." *Philological Quarterly* 70.4 (1991): 454-73.

Arner, Robert. "Historical Essays." *Alcuin; A Dialogue and Stephen Calvert vol. 6 of The Novels and Related Works of Charles Brockden Brown.* eds. Sydney Krause and S. W. Reid. Ohio: Kent State UP, 1987. 273-312.

Auden, W. H. "The Quest Hero." *Texas Quarterly* 4 (1961): 81-93.

Axelrod, Alan. *Charles Brockden Brown: An American Tale*. Austin: U of Texas P, 1983.

Barker, Francis and Peter Hulme. "Nymphs and Reapers Heavily Vanish:

The Discursive Contexts of the *Tempest*." J. Drakakis. ed. *Alternative Shakespeare*. London: Routledge, 1985. 189-210.

Baym, Nina. "Minority Reading of *Wieland*." *Critical Essays on Charles Brockden Brown*. ed. Bernard Rosenthal. Boston: G. K. Hall, 1982. 87-103.

Bernard, Kenneth. *The Novels of Charles Brockden Brown: Studies in Meaning*. Ph.D diss. Columbia U, 1962.

_____. "Charles Bernard Brockden." *Minor American Novelists*. ed. Charles A. Hoyt. Carbondale: Southern Illinois UP, 1970. 4-20.

Bernard, Philip and Stephen Shapiro. "Introduction." Charles Brockden Brown, *Edgar Huntley; or, Memoirs of a Sleep-Walker, with Related Texts*. ed. Philip Barnard and Stephen Shapiro. Indianapolis: Hacket Publishing Co. 2006. ix-xlii.

Berthold, Dennia. "Desacralizing the American Gothic: An Iconographic Approach to *Edgar Huntley*." *Studies in American Fiction* 14 (1986): 127-38.

Botting, Fred. *Gothic*. New York: Routledge, 1996.

Brancaccio, Patrick. "Studied Ambiguities: *Arthur Mervyn* and the Problem of the Unreliable Narrator." *American Literature* 42.1 (1970): 18-27.

Bradshaw, Charles C. "The New England Illuminati: Conspiracy and Causality in Charles Brockden Brown's *Wieland*." *New England Quarterly* 76.3 (2003): 356-77.

Brown, Charles Brockden. *Alcuin; A Dialogue*. Cynthia Kiener. ed. New York: NCUP, Inc. 1995.

_____. *Ormond*. Toronto: Broadview, 1999.

_____. *Three Gothic Novels: Wieland, Arthur Mervyn, Edgar Huntley*. New York: The Library of America, 1998.

_____. *Walstein School of History: The Rhapsodist and Other Writings*. ed. Harry Warfel. New York: School of Facsimilies and Reprints, 1997.

_____. *Clara Howard and Jane Talbot*. v. 5 of *The Novels and Related Works of Charles Brockden Brown Bicentennial Edition*. Ed. Sydney K. Krause et al. Ohio: Kent UP, 1986.

Burnham, Michelle. "Epistolarity, Anticipation, and Revolution in *Clara Howard*." eds. Barnard, Kamrath and Shapiro. *Revising Charles Brockden Brown: Culture, Politics, and Sexuality in the Early Republic*. Knoxville: U of Tennessee P, 2004. 260-80.

Burgett, Bruce. *Sentimental Bodies: Sex, Gender, and Citizenship in the Early Republic*. Princeton: Princeton UP, 1998.

Burleigh, Erica. "Incommensurate Equivalences: Genre, Representation, and Equity in *Clara Howard* and *Jane Talbot*." *Early American Studies* 9.3 (2011): 748-80.

Butler, David L. *Dissecting a Human Heart: A Study in the Style in the Novels of Charles Brockden Brown*. Washington: University P of America, 1978.

Campbell, Joseph. *The Hero with a Thousand Faces*. New York: Cambridge P, 1949.

Carpenter, Charles A. "Selective Bibliography of Writing about Charles Brockden Brown." Bernard Rosenthal ed. *Critical Essays on Charles Brockden Brown*. Boston: G. K. Hall, 1981. 224-39.

Chapman, Mary. "Introduction" in *Ormond; or, The Secret Witness* by

Charles Brockden Brown. Toronto: Broadview Literary Text, 1999. 9-34.

Chase, Richard. *The American Novel and the Tradition.* Baltimore: Johns Hopkins UP, 1957.

Christophersen, Bill. *The Apparition in The Glass: Charles Brockden Brown's American Gothic.* Athens: U of Georgia, 1993.

Clark, David Lee. "Charles Brockden Brown and the Rights of Women." *U of Texas Bulletin* 22.12 (1922): 1-48.

_____. *Charles Brockden Brown: Pioneer Voice of America.* Durham: Duke UP, 1952.

Cleman, John. "Ambiguous Evil: A Study of Villains and Heroes in Charles Brockden Brown's Major Novels." *Early American Literature* 10 (1975): 204-21.

Clemit, Pamela. *The Godwinian Novel: The Rational Fictions of Godwin, Charles Brockden Brown, Mary Shelley.* Oxford: Clarendon P, 1993.

Cohen, Daniel A. "*Arthur Mervyn* and His Elders: The Ambivalence of Youth in the Early Republic." *William and Mary Quarterly* 43.3 (1986): 362-80.

Cowie, Alexander. *The Rise of the American Novel.* New York: American Book Co, 1951.

Crevecoeur, J. Hector St. John de. *Letters from an American Farmers and Sketches of Eighteenth-Century America.* New York: Penguin, 1981.

Crow, Charles L. *American Gothic: An Anthology 1787-1916.* Oxford: Blackwell, 1999.

Davis, David Brian. *Homicide in American Fiction 1798-1860.* Ithaca: Cornell UP, 1957.

Davidson, Cathy N. "The Matter and Manner of Charles Brockden Brown's '*Alcuin*'." Bernard Rosenthal. ed. *Critical Essays on Charles Brockden Brown*. Boston: G. K. Hall, 1981. 165-81.

_____. *Revolution and the World: The Rise of the Novel in America*. New York: Oxford UP, 1986.

Decker, James M. "Reassessing Charles Brockden Brown's *Clara Howard*." *Publications of Missouri Philological Associations* 19 (1994): 28-36.

Dunlap, William. *The Life of Charles Brockden Brown together with Selections from the Rarest of His Printed Works.* Philadelphia, 1815.

Elliott, Emory. "Narrative Unity and Moral Resolution in *Arthur Mervyn.*" ed. Rosenthal. *Critical Essays on Charles Brockden Brown.* Boston: G. K. Hall, 1981. 142-63.

Emmett, Hilary. "Brownian Motion: Directions in Charles Brockden Brown Scholarship." *Early American Literature* 50.1 (2015): 205-21.

Ferguson, Robert A. "Yellow Fever and Charles Brockden Brown: the Context of the Emerging Novelist." *Early American Literature* 14 (1980): 293-305.

Fiddler, Leslie A. *Love and Death in American Novel*. New York: Stein and Day, 1982.

Fleischman, Fitz. "Charles Brockden Brown: Feminism in Fiction." *American Novelists Revisited: Essays in Feminist Criticism.* ed.

Fritz Fleischman. Boston: G. K. Hall, 6-14.
Fliegelman, Jay. "Introduction." *Wieland* and "Memoirs of Carwin the Biloquist." Charles Brockden Brown. ed. Jay Fliegelman. New York: Penguin, 1991.
Frye, Steven. "Constructing Indigeneity: Postcolonial Dynamics in Charles Brockden Brown's *Monthly Magazine and American Review*." *American Studies* 39.3 (1998): 69-88.
Fussle, Edwin Sill. "*Wieland*: A Literary and Historical Reading." *Early American Reading* 18 (1983-84): 171-86.
Gardner, Jared. "Alien's Nation: *Edgar Huntley*'s Savage Awakening." *American Literature* 66 (1994): 429-61.
_____. "The Literary Museum and the Unsettling of the Early American Novel." *ELH* 67.3 (2000): 743-71.
Godwin, William. *Enquiry Concerning Political Justice and its Influence on Morals and Happiness.* Orig. 1793. New York: The Classics, 2013.
_____. *Memoirs of Mary Wollstonecraft.* ed. W. Clark Durant. Orig. 1799. New York: The Classics, 1972.
Grabo, Norman S. *The Coincidental Art of Charles Brockden Brown.* Chapel Hill: U of North Carolina P, 1981.
_____. "Introduction." *Edgar Huntley; or, Memoirs of a Sleep-Walker.* New York: Penguin, 1988. vii-xxvi.
Habermas, Jurgen. *The Habermas Reader.* ed. William Oathwaite. Cambridge: Cambridge Polity P, 1996.
Hagenbuchle, Roland. "American Literature and the Nineteenth-Century Crisis in Epistemology: the Example of Charles Brockden Brown."

Early American Literature 23.2 (1988): 121-51.

Hale, Dorothy J. "Profits of Altruism: *Caleb Williams and Arthur Mervyn*." *Eighteenth Century Studies* 22.1 (1988): 47-69.

Hedges, William. "Charles Brockden Brown and the Culture of Contradiction." *Early American Literature* 9 (1974): 107-42.

Herman, Sondra R. "Loving Courtship or Marriage Market?: The Ideal and Its Critics in 1871-1911." *Our American Sisters: Women in American Life and Thoughts*. eds. Jean E. Friedman, William G. Shade, Mary Jane Cappozzoli. Lexington: D. C. Heath, 1987. 359-77.

Hesford, Walter. "Do you Know the Author? The Question of Authorship in *Wieland*." *Early American Literature* 17 (1982-83): 239-48.

Hinds, Elizabeth Jane Wall. *Private Property: Charles Brockden Brown's Gendered Economics of Virtue.* Newark: U of Delaware, 1997.

Hinds, Janie. "Deb Dogs: Animals, Indians, and Post Colonial Desire in Charles Brockden Brown's *Edgar Huntley*." *Early American Literature* 39 (2004): 323-64.

Jehlen, Myra. "The Literature of Colonization." ed. Sacvan Bercovitch. *The Cambridge History of American Literature. I: 1590-1820.* Cambridge: Cambridge UP, 1994. 13-168.

Jordan, Cynthia. *Second Stories: The Politics of Language, Form and Gender in Early American Frontiers, 1630-1860*. Chapel Hill: U of North Carolina P, 1989.

Justus, James H. "Arthur Mervyn, American." *American Literature* 42.1 (1970): 304-24.

Kafer, Peter, *Charles Brockden Brown's Revolution and the Birth of the*

American Gothic. Philadelphia: U of Philadelphia P, 2004.

Kaplan, Amy. "Manifest Domesticity." *American Literature* 70 (1998): 581-606.

Kazanjian, David. "Charles Brockden Brown's Biloquial Nation: National Culture and White Settler Colonialism in *Memoirs of Carwin the Biloquist*." *American Literature* 73.3 (2001): 459-96.

Kenneth, Bernard. "*Edgar Huntley*: Charles Brockden Brown's Unresolved Murder." *The Literary Chronicle* 37 (1967): 30-53.

Kerber, Linda K. *Women of the Republic: Ideology and Intellect in Revolutionary America*. Chapel Hill: U of North Carolina P, 1980.

Kiener, Cynthia A. "Introduction." *Alcuin; A Dialogue*. New York: NCUP, Inc. 1995. 3-37.

Kimball, Arthur. *Rational Fictions: A Study of Charles Brockden Brown*. McMinnville: Linfield Research Institute, 1968.

Knight, Grant. *American Literature and Culture*. New York.: R. Long and R. R. Smith, 1932.

Korobkin, Laura H. "Murder by Madman: Criminal Responsibility, Law and Judgement in *Wieland*." *American Literature* 72.4 (2000): 721-50.

Krause, Sydney J. "*Ormond*: Seduction in a New Key." *American Literature* 44 (1973): 570-84.

_____. "Historical Essay." *Edgar Huntley; or, Memoirs of a Sleep-Walker*. *The Bicentennial Brown*. Kent State UP, 1977. 295-400.

_____. "Penn's Elm and *Edgar Huntley*: Dark 'Instruction to the Heart'." *American Literature* 66 (2001): 462-84.

_____. "*Clara Howard* and *Jane Talbot*: Godwin on Trial." *Critical*

Essays on Charles Bernard Brockden. ed. Bernard Rosenthal. Boston: G. K. Hall, 1981. 182-96.

Lang, R. D. *The Politics of the Family and Other Essays*. New York: Pantheon Books, 1969.

Levine, Paul. "The American Novel Begins." *The American Scholar* 35 (1965-66): 134-48.

Lewis, Jan. "The Republican Wife: Virtue and Seduction in Early Republic." *William and Mary Quarterly* 44 (1987): 686-702.

Lewis, Paul. "Charles Brockden Brown and the Gendered Canon of Early American Fiction." *Early American Literature* 31 (1996): 167-88.

Looby, Christopher. *Voicing American Language, Literary Form, and the Origins of United States*. Chicago: U of Chicago P, 1996.

Loshe, Lillie Denning. *The Early American Novel.* New York: Columbia UP, 1907.

Mackenthun, Gesa. "Captives and Sleepwalkers: The Ideological Revolution of Post-Revolutionary Colonial Discourse." *Native American Studies* 11 (1997): 19-26.

Manley, William. "The Importance of the Point of View in Charles Brockden Brown's *Wieland*." *American Literature* 35 (1963): 314-25.

Marchand, Ernest. "Introduction." *Ormond.* ed. Ernest Marchand. New York: Hafner Publishing Co, 1937.

Monahan, Katheleen Nolan, "Brown's *Arthur Mervyn* and *Ormond*." *Explicator* 45 (1987): 15-34.

Nye, Russel. "Historical Essays." *Ormond; or, The Secret Witness*. vol. 2. of *The Novels and Related Works of Charles Brockden Brown.*

eds. Sydney J. Krause and S. W. Reid. Ohio: Kent State UP, 1987. 285-334.

Pattee, Fred Lewis. ed. *Wieland or Transformation*. New York: Hafner Publishing Co, 1958.

Person, Leland S. Jr. "My Good Mama; Women in *Edgar Huntley and Arthur Mervyn*." *Studies in American Fiction* 9.1 (1981): 33-46.

Ringe, Donald. *Charles Brockden Brown*. Boston: Twayne, 1991.

Rice, Nancy. "*Alcuin*." *Massachusetts Review* 14 (1973): 802-14.

Rogers, Paul C. Jr. "Brown's *Ormond*: The Fruits of Improvisation." *American Quarterly* 26 (1974): 2-24.

Rosenthal, Bernard. *Critical Essays on Charles Brockden Brown*. Boston: G. K. Hall & Co, 1982.

Rothman, David. *The Discovery of the Asylum: Social Order and Disorder in the New Republic*. Boston: Little Brown, 1971.

Russo, James R. "The Tangled Web of Deception and Imposture in Charles Brockden Brown's *Ormond*." *Early American Literature* 14 (1979): 205-27.

Samuels, Shirley. "Plague and Politics in 1793; *Arthur Mervyn*." *Criticism* 27.3 (1985): 225-46.

_____. "Infidelity and Contagion: the Rhetoric of Revolution." *Early American Literature* 22 (1987): 183-90.

_____. "*Wieland*: Alien and Infidelity." *Early American Literature* 25 (1990): 46-65.

Schulz, Dieter. "*Edgar Huntley* as Quest Romance." *American Literature* 43 (1971): 323-35.

Shuffleton, Frank. "Juries of the Common Reader: Crime and Judgement in the Novels of Charles Brockden Brown." eds. Barnard, Kamrath and Shapiro. *Revising Charles Brockden Brown: Culture, Politics, and Sexuality in the Early Republic.* Knoxville: U of Tennessee P, 2004. 88-117.

Sivils, Mattew Wynn. "Native American Sovereignty and Old Deb in Charles Brockden Brown's *Edgar Huntley.*" *American Transcendental Quarterly* 15 (2001): 293-304.

Soldati, Joseph. "A Study of Charles Brockden Brown's *Wieland.*" *ESQ* 20 (1974): 110-21.

Spangler, George M. "Charles Brockden Brown's *Arthur Mervyn*: A Portrait of the Young American Artist." *American Literature* 52.4 (1981): 578-92.

Sullivan, Michael P. "Reconciliation and Subversion in *Edgar Huntley.*" *American Transcendental Quarterly* 1 (1988): 5-12.

Teute, Fredrika J. "A 'Republic of Intellect': Conversation and Criticism among the Sexes in 1790s New York." eds. Barnard, Kamrath and Shapiro. *Revising Charles Brockden Brown: Culture, Politics, and Sexuality in the Early Republic.* Knoxville: U of Tennessee P, 2004. 149-81.

Tompkin, Jane. *Sensational Design: The Cultural Work of American Fiction, 1780-1860.* New York: Oxford UP, 1985.

Verhoeven, W. M. "Displacing the Discontinuous: or the Labyrinths of Reason: Fictional Design and Eighteenth-Century Thought in Charles Brockden Brown's *Ormond.*" W. M. Verhoeven. ed. *Rewriting Dream: Reflections on the Changing American Literary Canon.* Amsterdam: Rudopi, 1992. 202-29.

Vickers, Anita M. "“Pray, Madam, Are You a Federalist?”: Women's Rights and the Republican Utopia of *Alcuin*." *American Studies* 39 3 (Fall, 1998): 89-104.

Warfel, Harry. *Charles Brockden Brown: American Gothic Novelist.* New York: Octagon Books, 1974.

Waterman, Bryan. "The Barbarian Illuminati, the Early American Novel and Histories of Public Sphere." *William and Mary Quarterly* 62.1 (2005): 9-30.

Watts, Steven. *The Romance of Real life: Charles Brockden Brown and the Origins of American Culture*. Johns Hopkins UP, 1994.

Weldon, Robert. "Charles Brockden Brown's *Wieland*: A Family Tragedy." *Studies in American Fiction* 12 (1984): 1-11.

Weslarger, C. A. *The Delaware Indians: A History*. New Brunswick: Rutgers UP, 1972.

Weyler, Karen. *Intricate Relations: Sexual and Economic Desire in American Fiction, 1789-1814.* Iowa City: U of Iowa P, 2004.

White, Ed. "Carwin the Peasant Rebel." eds. Barnard, Kamrath and Shapiro. *Revising Charles Brockden Brown: Culture, Politics, and Sexuality in the Early Republic.* Knoxville: U of Tennessee P, 2004. 41-59.

Wollstonecraft, Mary. *A Vindication of the Rights of Women with Strictures on Political and Moral Subjects.* ed. Charles W. Hagelman Jr. New York: W. W. Norton and Co, 2009.

지은이 정혜옥

덕성여자대학교 영어영문학과를 졸업하고 고려대학교에서 석사, 박사학위를 받았다. 덕성여자대학교 영어영문학과에 재직하면서 미국 문학을 강의하고, 주로 미국 소설을 연구하고 있다. 한국미국소설학회 회장, 덕성여자대학교 어학실장, 언어교육원장, 도서관장을 역임했다. 저서로는 『나사니엘 호손: 개인과 사회적 질서의 관계』, 『나사니엘 호손의 주홍글자 연구』(공저), 『좋은 번역을 찾아서』(공저), 역서로는 『순수의 시대』, 『그 지방의 관습』(공역), 『미국소설사』(공역) 등이 있으며 미국 소설에 관한 논문을 다수 발표하였다.

미국 문학의 선구자 찰스 브록덴 브라운 소설 연구

초판 발행일 • 2017년 2월 28일
지은이 • 정혜옥 / 발행인 • 이성모 / 발행처 • 도서출판 동인
주소 • 서울시 종로구 혜화로3길 5 118호 / 등록 • 제1-1599호
Tel • (02) 765-7145~55 / Fax • (02) 765-7165
E-mail • dongin60@chol.com

ISBN 978-89-5506-756-9 정가 18,000원